LES JUMEAUX MILLÉNAIRES

Dans la même collection

Maud Frère

Les Jumeaux millénaires

Roman

Préface de Jacques De Decker
Lecture de Marie-France Renard

Éditions Labor - Bruxelles

Illustration : Jean-Marc COLLET

Crédits photographiques : A.M.L. (Bruxelles). Archives R.T.B.F.

Publié avec l'aide de la Communauté française de Belgique.

Imprimé en Belgique
D/1988/258/47 - ISBN 2-8040-0357-4
L 902352

PRÉFACE

Jusqu'à son dernier jour, où la mort la faucha si brutalement, laissant ses amis désemparés et accablés de tristesse, Maud Frère fut semblable à elle-même : belle et rayonnante, avide de vivre et de rire, suprêmement féminine, confondant avec allégresse le réel et les songes, elle dont les propos étaient tressés de légendes autant que de vérités qu'elle aimait cinglantes et insolentes. Un de ses amis, en littérature, était Jean Genet dont elle fit la connaissance alors que, en convalescence à l'American Hospital de Bruxelles, il s'y morfondait. Gallimard dépêcha auprès de lui un de ses auteurs maison, qui habitait dans les parages.

Et Maud Frère s'improvisa garde-malade de l'auteur de Notre-Dame des Fleurs. Ils sympathisèrent. L'association insolite de la bourgeoise lettrée et du grand rhétoriqueur hors-la-loi est révélatrice : il y avait, chez Maud, une éternelle rebelle qui avait su faire rendre gorge à la vie des humiliations qu'elle avait subies. Ils avaient tout pour s'entendre, au fond, le romantisme compris. Ils étaient l'un et l'autre de grands adorateurs de l'amour, et de ses mythologies...

Un soir, chez Maud, à Uccle, dans cette maison cernée de fleurs à laquelle on accédait en grimpant entre les hauts arbres du Krabbegat. On était en juin, son mois de prédilection, où la nuit se fait attendre et s'abaisse comme un rideau de théâtre qui aurait des lenteurs allanguies. La porte du jardin était ouverte, les senteurs des parterres envahissaient le salon. Une rêverie de luxe, une quintessen-

ce de bonheur. Maud, alors, mettait un de ses disques préférés, les chansons de Marilyn Monroe, et ses yeux brillaient aux cadences de My Heart belongs to Daddy.

Elle aimait, chez Marilyn, la prodigieuse vitalité, la sensualité prodigue. Elle devinait ses fragilités aussi, parce qu'elle les pressentait au fond d'elle. Les vraies amoureuses de la vie sont dévorées d'impatience, parce qu'elles sentent que le temps les dévore. Chez Maud, les alertes de l'inéluctable avaient l'acuité de ces migraines qui la tenaillaient des semaines entières quelquefois, qui la faisaient vaciller sur les escaliers, qui l'enserraient comme un étau. Une rêveuse au cerveau encagé par le mal : ce fut le martyre de ses dernières années.

Cela ne l'empêche pas de toujours préserver en elle la pureté des émois et des éblouissements de l'adolescence. C'est avec cette ferveur, cet enthousiasme intacts qu'elle suivit la préparation de deux films que Jean-Pierre Berckmans et moi avons tiré de ses romans La Délice et Les Jumeaux millénaires. Elle s'amusait comme une enfant aux séances de mise au point du scénario qui nous réunissaient, et où la fidélité à ses livres lui importait moins que la joie, au départ de ses récits, de créer autre chose, de trouver les lieux, les visages, les musiques qui concrétiseraient son rêve éveillé, les « vacances secrètes » qu'elle prenait la plume à la main, entrelaçant souvenirs et aspirations, vérités et affabulations dans une liberté vagabonde qui lui allait à merveille, qui était le premier atout de son élégance.

Elle a toujours marqué une préférence évidente pour Les Jumeaux millénaires. Non tellement parce que cet ouvrage, lauréat du Prix Rossel, contribua beaucoup à sa notoriété, mais parce qu'elle y avait insufflé, plus qu'ailleurs, une grande part de confidences à mi-voix. C'est que, comme Laure, son héroïne, Maud avait fait son éducation sentimentale — est-il d'autres éducations que sentimentales ? — durant la guerre. Elle avait traversé ces années noires dans de pénibles circonstances, avait été appelée à prendre de lourdes responsabilités familiales, mais était marquée, surtout, par l'électricité dont l'air était chargé durant l'Occupation.

L'état d'urgence, le couvre-feu — on en trouve des traces dans Les Jumeaux millénaires —, les interdictions diverses donnaient du prix à certaines émotions qui, en d'autres temps, auraient paru banales. C'est alors que Maud avait appris à savourer un fruit, un feu, une étoffe comme elle continua à le faire plus tard. Lorsqu'elle faisait visiter le vieux moulin qu'elle avait aménagé dans une petite vallée des Ardennes, elle contait l'histoire de chaque meuble, de chaque objet comme s'il avait été arraché par miracle à un désastre.

C'est dans une semblable clairière que se déroule Les Jumeaux millénaires, une «trouée bleue dans l'épaisse brume». Laure, qui vit petitement, depuis la mort de son père, comme vendeuse chez un chausseur, retrouve une amie de lycée qui l'emporte dans un rêve. Elle se croit, un temps, précipitée, comme Alice, au pays des merveilles. Gene et son oncle Antoine vivent loin du monde et de ses horreurs dans un château, lové dans ce Brabant wallon dont Maud Frère nous dit, sans le nommer jamais, les ineffables douceurs. Dans la description des transports de Laure face à la nature, Maud était à son affaire : il faudra attendre un quart de siècle pour que surgisse dans nos lettres, avec Thilde Barboni et son Ile captive, une autre célébrante des fêtes végétales.

Apparemment, ici, tout n'est que luxe, calme et volupté. Laure, comme Maud, est convaincue que ces bénédictions ne sont pas de l'ordre de la providence, mais du talent, que Gene et Antoine ont le don de garder éloignées d'eux les noirceurs du monde. Elle, elle perd pied devant tant de grâces assemblées, la lumière lui fait monter les larmes aux yeux, elle croit s'évanouir à chaque instant. Elle ne sait comment se tenir dans cet univers qui, comme la forêt de Brocéliande, est un refuge de sortilèges.

Elle s'apercevra pourtant que ce décor idyllique est à double fond, qu'on ne peut pas, comme Richard le fait, effacer la guerre d'un revers de main, que les visages racés, comme elle dit, de Gene et d'Antoine sont des masques, qu'il n'est pas de parc si privé que la tragédie du réel ne trouve à rappeler ses douloureuses exigences. Et Laure, qui a appris la familiarité du malheur, ne voudra pas faire l'impasse sur la mort en marche dans le corps du soldat allemand capturé, ni sur les souffrances qu'annoncent ces vaisseaux destructeurs qui, dans le ciel nocturne, portent le carnage vers le pays bientôt vaincu.

Maud Frère ne condamne pas pour autant. Elle ne fut jamais une romancière manichéenne, même si beaucoup de ses porte-parole sont des jeunes filles qui n'ont, face aux étanchéités et aux verrouillages sociaux, que l'évidence de leur beauté et de leur fraîcheur, et que blessent les leurres des sourires et des caresses qu'on leur accorde distraitement. La romancière déduit seulement des castes et des classes qui morcellent la société des hommes ces glissements et ces dérives, ces attractions et ces rejets qui sont du bois dont on taille les fables...

De ce pas léger qu'adoptent, disait Nietzsche, les colombes, Maud allait son chemin de conteuse hyper-sensible qui, par phrases courtes, lapidaires comme elle pouvait l'être dans sa conversation, nous enchantait parce qu'elle renouait avec les joies, les passions, les déceptions de cet âge où l'on ne sait trop comment l'on va s'insérer dans l'épaisse futaie de l'existence, dans cette grande famille formée par les autres, tous les autres, jumeaux depuis la nuit des temps, et d'où l'on se sent exclu.

Cette angoisse juvénile-là, Maud l'exprima comme personne. C'est pourquoi on n'a pas fini de la (re)découvrir.

Jacques De Decker

J'ai fait à pied le trajet jusqu'à la gare des tramways, avant l'aube, pour être sûre de trouver une place assise.

Dans les rues noires et vides, les réverbères ne donnent qu'un soupçon de clarté à travers leurs lampes passées au bleu. Les maisons aussi dorment dans leur nuit de guerre.

Parfois, derrière un rideau en papier d'où filtre un reflet étouffé, on devine une vie froide qui se hâte vers le travail, un poêle chargé d'incombustibles fumants, et des choses mal réveillées, frissonnantes, qui n'attendent qu'un signe pour sombrer.

Je suis comme elles. Je dors debout, et c'est la cadence de mes pas qui rythme mon demi-rêve.

Au dernier tournant j'aperçois les silhouettes assises sur leurs ballots avec la patience des privations connues.

A quoi bon venir si tôt pour trouver déjà cette foule calme en apparence! Je les connais. En ce moment ils sommeillent, mais brusquement ce sera l'assaut.

J'ai été obligée de fermer ma valise avec des ficelles et je la porte sous le bras. Le découragement freine mon allure. Je m'arrête à cent pas d'eux, lasse et prête à pleurer.

Pendant une guerre on pleure peu et toujours pour des riens.

Pour des tickets de pain volés, ou à cause de ces gens féroces qui se battront tout à l'heure. Non. Je ne me mêlerai pas au combat. Je m'en vais, je quitte ma vie pour un temps.

Depuis ce matin, je suis en congé. Le premier depuis des années. Tout mon corps est déjà immergé dans le mot magique répété à longueur de journée, ces dernières semaines.

J'attends, assise sur ma valise, le menton dans les mains.

La nuit est moins opaque et par-dessus un mur d'où s'échappe une branche d'arbre, un chant de merle tranche le silence.

Sitôt que je ferme les yeux, le sommeil me reprend. Peu importe le merle et le reste! J'aime mon envie de dormir.

Qu'est-ce que j'ai dormi pendant la guerre! Toutes les occasions étaient bonnes. Entre deux cours, au travail, entre deux clients, dans la cuisine en tournant une sauce, dans les queues devant une boucherie... Dormir! Ne plus vraiment vivre. Il suffisait de fermer les yeux, n'importe où, n'importe quand.

La guerre est une longue attente.

Ça y est. La foule s'est levée, avant même que rien ne sorte du hangar. Je n'ai pas bougé. J'entends les voix et les appels, le claquement des semelles ferrées sur le pavé. Je devine leurs gestes lourds lorsqu'ils chargent les sacs sur leurs épaules.

Il me faut lutter contre mon réflexe immédiat de courir. L'arrivée du tramway dans son grincement familier et le cri brutal de la foule en mouvement me dressent malgré moi. La bousculade a commencé. Colis et gens se grimpent déjà les uns sur les autres, tandis que le tram roule encore. Des mains accrochent au passage la barre d'entrée, d'autres les arrachant, s'agrippant, lâchent à leur tour.

Parfois, le conducteur, par malice, accélère au dernier moment et va stopper plus loin, devant un voyageur moins âpre et ahuri.

Cette chance m'est dévolue, ce matin-là. J'ai trouvé par miracle une porte béante, un wagon vide. C'est la ruée qui me soulève et me porte à l'intérieur où je prends la première place qui se présente, près d'une fenêtre. Je glisse ma valise sous un siège tandis que la débâcle se poursuit dans le vacarme. Les sacs pleins lancés dans le compartiment, suivi de masses vivantes écrasant tout sur leur passage, piétinant, enjambant, jurant.

Moi, je suis contente, incroyablement, et je détourne la tête pour ne pas voir un spectacle quotidien qui ne révolte plus.

Lorsque le tramway démarre en ferraillant, le wagon entier soupire de satisfaction. Il reste en effet une quantité de moins heureux sur le trottoir, et même mal logés, ceux qui partent sont dans le bon lot.

La ville occultée semble morte et les voyageurs ont des visages décomposés sous les ampoules bleuies.

Des faces trouées d'yeux méchants et des bouches serrées sur un silence aussi froid que les rues.

Quand passe une patrouille géométrique et cadencée, instantanément s'agite le petit grelot de la peur. De vide en vide passe un réverbère fantôme.

Je referme les paupières et aussitôt un profond bien-être m'envahit. Une femme debout contre moi m'écrase et me vole l'oxygène, mais le chaos du tramway et le bruit régulier des roues usées et des essieux mal graissés m'apportent l'ivresse de l'anesthésie. On ne rêve pas à cette heure. On fuit. On dort.

Je sommeille, absente, anéantie dans une joie aussi abîmée que les rues.

Soudain, un bébé enveloppé dans un châle pousse un cri et le wagon sursaute. Comme dans une cage de perruches, des voix surgissent de tous côtés, se croisent et le ton monte par-dessus le voisin qui s'évertue.

Finie la paix. Tout est redevenu humain. La femme s'affaisse de plus en plus sur moi et m'enveloppe de son odeur aigre. Le bébé a choisi de pleurer et les gens de parler tous ensemble, comme s'ils craignaient de tomber dans le grand silence qu'ils traversent.

La ville dort toujours, à part quelques cyclistes en casquette qui filent vers l'usine.

Ici, à l'intérieur, le brouhaha est suffocant. Les mots passent d'une haleine à l'autre. Près de moi deux femmes échangent des recettes de cuisine qui bourrent leur ventre creux, et le bébé s'est tu, parce qu'on lui a mis en bouche une tétine sans biberon.

Je tente encore de m'assoupir, de ne pas penser, de ne pas entendre. Je chasse tout ce qui vient à moi. La femme qui pèse, son relent de linge sale, le prix des haricots, les gâteaux de pommes de terre... Je chasse, je repousse, je m'enfuis.

Et vraiment, la nuit m'accepte à nouveau où, intacte, je sombre merveilleusement.

Le tramway stoppe et dans un cri tous les voyageurs debout s'écrasent sur les voyageurs assis.

La cohue recommence. Les gens descendent et d'autres montent en même temps, car personne n'attend un vide pour le remplir.

Je détourne à nouveau la tête. La ville finit ici, très précisément à cette halte, devant le petit café: «Chez la veuve de Germain.»

Au-delà, c'est le Brabant. Un soupçon de matin éclaire la campagne. Le ciel s'entr'ouvre à l'horizon derrière un bois, après les grandes prairies sans couleur.

On repart en laissant derrière soi la guerre et la nuit. On roule vers la lumière. Mes yeux voient, je respire. Tout est là, dans cette campagne délavée. En moi, des portes s'ouvrent par où je m'élance follement. Le mot magique danse devant des miroirs opposés qui réfléchissent son image jusqu'à la liberté: Vacances! Vacances!

Les prés aussi s'alignent à l'infini, et j'aperçois les masses sombres des vaches. La clarté monte rapidement, mais sur le talus du remblai, les coquelicots sont encore incolores.

Un portique de ferme passe, pas loin, puis des vergers aux troncs blanchis.

Peu à peu on atteint le bois qui paraissait petit, mais où l'on roule pendant près d'un quart d'heure. Il y fait nuit de nouveau, puis soudain, de l'autre côté, c'est le jour.

Là, les coquelicots sont rouges et les chardons couverts

de poussière.

Le ciel a pâli. J'ai oublié ma fatigue. Le mot vacances engloutit en deux syllabes des années interminables. De minute en minute, ma vie change. A présent je suis sûre que, lorsque je retournerai en arrière, plus jamais je ne retomberai dans ce gouffre d'où je viens d'émerger.

Pourquoi, dans ma mémoire, la guerre c'est toujours l'hiver, le froid, le noir? Il a fait jour pourtant, autant que nuit, et après les glaces et la bise, venait chaque fois le printemps.

Cette sortie de la ville, je ne puis que la revoir dans une aube givrée.

Quelques heures avaient-elles suffi à faire gonfler et mûrir les bourgeons, à chauffer la terre?

Mon arrivée à Froidmont, je la ressens comme une ardeur dans ma grande fatigue, un soudain été dans l'hiver.

C'était bien juillet là, oui, juillet et sa splendeur.

Sur la place du village, toute seule dans le soleil, Gene tient sa bicyclette à deux mains et regarde le tramway qui fait son entrée, mais elle ne voit personne derrière la vitre aveuglante.

Et tout de suite, comme à l'école, je me pose des questions.

A quoi rêve Gene dans sa robe de vichy rose? Elle est belle. J'aime ses cheveux répandus sur les épaules. Sera-t-elle gaie? Contente de me voir? Ou bien regrette-t-elle déjà son invitation?

De la portière, je fais signe et elle me sourit de loin. Elle ne bouge pas, elle ne s'avance pas. Simplement elle sourit et me regarde marcher vers elle, ma valise ficelée sous le bras. Je ne la connaîtrais pas aussi bien, depuis tant d'années, je croirais qu'elle pose. Cette attitude lui va trop bien, tête légèrement inclinée, épaules de biais. Mais elle a toujours été ainsi, d'instinct. En l'embrassant, je retrouve même son parfum qui ravissait mes rêves d'écolière.

— Tu n'as pas changé, Gene.

— Toi non plus! répond-elle avec cet air de ne pas penser ce qu'elle dit. Pas de la froideur. Une sorte de distance naturelle. Elle a le pouvoir de me faire mal très vite et très aigu.

Elle donne, puis tout de suite elle reprend. Jamais je n'ai pu la comprendre.

Pendant qu'elle lie ma valise au porte-bagages, je la contemple.

— Tu as encore embelli.

— J'ai bruni simplement.

Elle se redresse et me voit.

— Toi tu es pâle. Ces vacances te feront du bien. Tu as pu prendre congé facilement?

Je ne suis jamais venue à Froidmont. Une féerie! Les pavés brillent comme des joyaux. La lumière est si légère que le village a l'air suspendu entre ciel et terre.

Je prends le vélo et nous avançons. De l'autre côté de la place, un commerçant lève le volet de sa boutique. Il salue Gene avec déférence.

— Ce n'est pas jour de marché, une chance! dit-elle, sinon cette rue est bouchée et nous aurions dû faire un grand détour par la route.

— Le marché! ça doit être joli!

— Avant la guerre oui. Maintenant ils apportent des choses, par habitude...

La voix de Gene est nacrée comme les toits dans le bas de la rue qui reçoivent de front le soleil. La jupe de Gene, à chaque pas, bondit et les carreaux roses dansent dans la cotonnade.

Des paysannes chargées s'écartent et disent bonjour respectueusement. Gene répond d'un hochement de tête, et son visage garde le reflet de tous les hommages qui rayonnent sur elle.

— Tu feras la connaissance de mon oncle. Il vit chez nous en ce moment. Papa et Maman sont restés en ville. Nous serons trois... C'est bien, n'est-ce pas? J'adore mes parents, mais quand ils viennent à Froidmont, les vacances sont finies. Papa surtout, il est difficile à vivre! Ce qu'il m'agace!

Agacer! Sa voix monte comme en classe, lorsque soudain, après un rire, ses traits se crispaient, elle criait:

— Tu m'agaces!

Mais aujourd'hui Gene est d'excellente humeur. Son sourire revient et elle ajoute:

— Antoine est séduisant, tu verras!

Nous sommes sorties du village et suivons un sentier en terre battue qui se creuse entre des talus où poussent des robiniers.

Les étourneaux jacassent et à notre passage, s'envolent en nuée.

— Au fond, mes parents n'aiment pas la campagne. Ils s'empoisonnent ici et ils nous empoisonnent... Tu ne dis rien?

Elle me regarde un instant, puis me saisit et m'embrasse.

— Tu n'as pas changé non plus! Toujours silencieuse! Ah!

Elle s'écarte et sa robe se déploie autour de ses longues jambes. La souplesse d'une danseuse!... Elle marche devant moi, et de temps en temps arrache une herbe qu'elle mâchonne.

— Une chance qu'on se soit retrouvées! fait-elle brusquement.

— Pourquoi m'as-tu invitée?

— Quel choc de te revoir là. Laure, pourquoi fais-tu ce métier?

Voilà l'agacement qui pointe. Quoi que je réponde, elle

sera mécontente. D'ailleurs j'avais lu en elle tout de suite, dans le magasin. J'étais accroupie, un genou à terre comme nous faisons pour chausser les clientes.

Je ne l'avais pas vue. Je parlais, je vantais la marchandise dans les termes usuels quand j'ai aperçu Gene dans le grand miroir. Elle me fixait depuis un moment sans doute et lorsque nos regards se sont croisés, j'ai compris qu'elle était en colère.

— Il y a tant de choses intéressantes à faire!

La même colère dans ce soleil, cette campagne... Non.

— J'aimerais que nous ne parlions plus de tout ça.

Ma voix est coupante, je m'en rends compte trop tard. Comme avant, le vieux sentiment d'isolement surgit entre nous, couvrant d'une ombre les plus beaux moments de notre amitié.

Le chemin monte et devient sablonneux. Les roues du vélo s'enlisent et je peine derrière Gene qui est toute à sa colère.

Je lui appartiens. Je lui ai toujours appartenu. Les livres qu'elle me prêtait, les cinémas où nous passions le jeudi, c'était elle qui en décidait. Je me pliais. Après l'école, nous avons cessé de nous voir. Et quatre ans plus tard, elle me retrouve aux pieds d'une cliente...!

— N'empêche, fait Gene, tu as rougi quand tu m'as vue! ça prouve...!

— Cesse ou je m'en vais!

— Je pensais souvent à toi, continue-t-elle imperturbable. Je me demandais ce que tu devenais. Tu as déménagé?

— Après la mort de mon père.

— Parfois, j'imaginais que tu avais passé en Angleterre. Je te voyais très bien en héros.

— Si tu crois que j'ai eu le temps d'y penser!

Mon rire sec, Gene ne l'entend pas. Elle poursuit son idée.

— Tu verras Claire... Elle est mariée... Claire, tu te rappelles?

— Très bien.

Je détestais cette Claire, stupide et gâtée. Elles allaient au bal chez des amis communs. Gene m'en rebattait les oreilles jusqu'à ce que ma rage éclate. Alors elle triomphait en s'écriant:

— Tu es jalouse! Tu es jalouse!

Comme le bonheur est fragile. Qu'est-ce que je fais dans ce chemin ensoleillé, avec le passé douloureux qui danse devant moi en robe rose?

— Pourquoi m'as-tu invitée?

Gene ne répond pas. Elle fait un geste vague de la main. Encore un retour en arrière. Gene qui chassait la question embarrassante, comme on renvoie une mouche importune.

— Nous avons été amies pendant six ans.

— Je m'étais juré... Tu me manquais, Laure! Je m'étais juré: la première fois que je rencontre Laure, je l'invite à Froidmont. Pas un jour, ou quelques jours, mais pour un mois, des mois...

Nous arrivons au sommet de la côte. Le sentier débouche sur une vaste étendue de champs où souffle un vent doux, chargé de pollen.

— C'est là, dit Gene en m'arrêtant et elle me montre au loin un rideau de peupliers, un portique blanchi, une allée qui plonge dans la propriété où le feuillage des arbres cache en partie la maison.

— J'habite ici toute l'année, c'est plus simple, et j'aime vivre avec mon oncle. Il est adorable.

Comme toujours, elle se mouille les lèvres par coquetterie.

Avant de repartir, elle se baisse pour rattacher une sandale et ses cheveux soyeux lui tombent sur les joues.

— A quoi penses-tu? demande-t-elle en se relevant.

— C'est le plus beau jour de ma vie.

Au bout de l'allée, je m'arrête et je retiens Gene par le bras. Dans le jardin règne une paix totale.

La maison s'étale largement devant la pelouse de velours.

Sur la terrasse, à côté des fauteuils en osier, une table dressée pour je ne sais quels personnages de légende. Mais personne.

L'ombre d'un marronnier joue avec le soleil à caresser de ses mains la façade muette.

Le mystère qui passe sans bruit dans le vent léger réveille en moi des élans d'enfance. Un ramier roucoule deux, trois fois, puis complice, se tait.

Je serre le guidon du vélo, seul objet qui paraisse réel au milieu de ce charme étrange et neuf. Je n'avais pas cru possible d'être heureuse à ce point. Gene me regarde intensément. Elle a toujours aimé lire à travers moi, à travers mes joies, mes chagrins. Elle essayait sur moi son pouvoir, me faisait une peine aiguë, puis dévorait dans mes yeux la douleur qui bleuissait mes paupières. Et le bonheur aussi, elle le préférait renvoyé par le miroir de mon regard.

Je la connais. Et j'accepte, comme avant, sa plongée en moi.

— Je comprends tout, maintenant, lui dis-je à mi-voix pour ne pas troubler le beau calme du jardin.

— Tu comprends?

— Ton sourire à l'école, ta lumière. Tu ressembles à

tout ceci. Je me demandais souvent pourquoi tu étais si...

Le gravier crisse à nouveau sous nos pas.

— Le jardinier habite là, dit Gene en m'entraînant vers une maisonnette derrière la grande allée. Elle ouvre la porte du garage et me regarde détacher la valise. Le silence est oppressant.

Nous nous approchons de la maison endormie. Presque tous les volets sont fermés et la voix du ramier perce à nouveau les feuillages aussi impénétrables que la maison.

Une horloge sonne neuf coups et je cherche dans l'entrebâillement d'un volet à découvrir le secret d'un salon noyé dans la pénombre.

— Passons par la cuisine, dit Gene, nous verrons si le café est prêt.

Là, plane le même calme, le même silence. Seule une bouilloire sur le feu anime un peu la pièce inondée par la même ombre fraîche.

Pourtant quelqu'un a pris cette eau, allumé ce feu et sur la table des miettes de pain témoignent d'une présence encore proche.

— Viens, je te montre ta chambre.

D'abord l'office, puis une autre porte, et dans l'obscurité un hall couvert d'un tapis.

Gene s'élance devant moi vers le large escalier et s'envole dans sa robe serrée à la taille et gonflée en corolle rose autour de ses jambes fines. Rien de plus léger que Gene qui s'élève comme un oiseau de paradis dans le château de la Comtesse de Ségur. La chambre aussi ressemble à un livre d'images avec ses bois sombres et ses cretonnes fleuries.

— La salle de bains est là, dit Gene en indiquant un couloir où dorment dix portes toutes semblables, mais le chauffe-eau marche au bois. Je te montrerai. Veux-tu prendre un bain?

Elle n'écoute pas la réponse et disparaît sans bruit me laissant seule avec mon émerveillement.

Une branche de marronnier se balance doucement devant la fenêtre ouverte.

Trop ! Trop inattendue cette joie surgie au plus noir de la guerre et de ma fatigue !

Ici tout vit comme si rien n'était arrivé, sinon un jour heureux après un autre jour heureux, jusqu'à l'éternité.

Je m'assieds avec précaution sur le lit tendu de fleurs. Mes paumes tâtent la fraîcheur lisse d'une percaline au luxe oublié. Le moindre objet est simple et beau, tout naturellement, comme Gene qui penchait gracieusement la tête dans le soleil et attendait ma venue en souriant.

Mon père aurait dû connaître ça, fût-ce une minute ! Lui n'est jamais sorti de la nuit. Moi, je bats encore des paupières. Il me faudra sans doute du temps pour voir dans cette lumière. Depuis des années je ne regarde plus. Ai-je même jamais ouvert réellement les yeux ? Est-ce que nous ne vivions pas, mon père et moi, tournés vers l'intérieur de soi, veillant seulement à nourrir un peu de chaleur ?

Sitôt que je songe à lui la blessure revient. Je chasse l'image, toutes les images qui affluent pour m'aveugler de nouveau.

Je m'absente, je m'isole en cessant de respirer jusqu'à ce que vienne le vide total.

Et si je n'allais plus retrouver la joie d'aujourd'hui ? Mais elle est là. Je soupire en m'étendant sur le lit.

La branche de marronnier bouge lentement sur un bout de ciel bleu. Tout est là, le jardin et la pelouse et l'allée de hêtres pourpres. Tout, par miracle. Et puis au-dessus, le silence des grands bonheurs.

— Laure est jolie, n'est-ce pas?

Gene fixe son oncle pour le forcer à répondre, et lui me regarde longuement sans se donner la peine de sourire. Sa chemise kaki est usée et son pantalon de velours déformé aux genoux, mais il les porte comme si c'étaient des habits d'or.

J'ai rougi, parce qu'ils sont là, tous les deux beaux et identiques sous leur masque racé, à m'évaluer en silence.

— Gene m'a parlé de vous, dit Antoine en s'asseyant enfin dans un fauteuil d'osier. Sa voix est aimable, mais toute perlée de rosée glacée.

Gene a parlé de moi! Quels souvenirs a-t-elle racontés?

Jamais la distance entre nous n'a été aussi grande qu'à la minute où j'ai dû leur faire face dans ma robe noire, ma meilleure, avec laquelle je travaille au magasin.

Est-ce qu'en classe, chaque matin, Gene remarquait les bribes de misère que j'apportais? En a-t-elle parlé à son oncle?

— Gene disait hier que les jours où vous étiez absente, l'école lui paraissait sinistre!

Comme je suis méchante! C'est moi qui juge, qui compare. Gene n'y pense même pas.

— Laure travaille pour payer ses études, dit Gene, je trouve ça formidable!

— C'est très méritant, répond Antoine avec indifférence.

Mais qu'est-ce qui m'arrive?

D'une seconde à l'autre, ils me donnent le bien ou le mal.

Une femme passe sur la terrasse apportant un plateau chargé de pain presque blanc et de fraises couchées dans une neige de sucre. Puis elle disparaît.

Apaiser sa faim dans un jardin, bavarder avec des êtres à peine réels! Est-ce naturel que je me trouve là, pas pour deux heures comme au cinéma, et puis que je sorte ensuite dans la pluie froide, mais pour des jours, peut-être deux semaines?

A chaque bouchée de pain, je ferme les yeux pour le goûter avec le respect qui lui est dû. Je suis tout entière vivante entre ma langue et son palais qui écrasent la volupté d'une fraise au sucre.

— Antoine travaille beaucoup, dit Gene. Il est historien. Te l'ai-je dit? Il est plongé dans des recherches depuis des années.

Je souris. Pourquoi parle-t-elle au risque de rompre une harmonie aussi parfaite?

— Tu devines quelles recherches? Laure!

Antoine semble absent. Légèrement agacé. Sans doute derrière un demi-sourire de politesse, souhaite-t-il lui aussi le silence.

— Les origines de Tristan et Iseult! Tu te rends compte! Il a pour certaines choses une patience...

Pourquoi les mots, ici, n'ont-ils pas la même signification?

A présent Antoine parle. Je n'entends pas ce qu'il dit, mais sa voix a des inflexions peu communes. Sur le pavement de la terrasse, le soleil et le vent font osciller tout un feuillage d'ombres et de taches blanches. A chaque mouvement des branches, Gene reçoit un rayon qui la dore d'un éclat précieux.

Une mie de pain séchée m'entre peu à peu dans le bras,

devient picotement douloureux. Au lieu de le retirer, j'appuie davantage sur la table et je sens la pointe vive s'incruster dans ma peau.

Cette réalité m'est exquise, me garde de l'assoupissement, de l'accoutumance au merveilleux.

Antoine et Gene échangent des propos, mais lui paraît soucieux.

Ses doigts sont nerveux et son esprit vagabonde.

Ses doigts! Je remarque à l'instant une alliance ronde et brillante qui gâche sa belle main d'homme comme une rature sur une page.

— Ce sont des fraises du jardin, dit Gene en tendant le plat. Des fraises sauvages! Le jardinier fait des miracles dans le potager... Laure, tu m'écoutes?

Un potager! Ils possèdent aussi un potager!

Depuis le matin ma vie se pare d'une soie somptueuse, cachant sous ses plis, la nuit de ma vraie vie.

Je traverse la pelouse en sautillant. La sieste! Gene fait la sieste. Antoine aussi sans doute. Et le jardinier miracle?

Non. Il taille une haie à ma gauche, derrière des buissons de rhododendrons. La sieste! L'inoccupation. Ici, j'apprendrai à conjuguer: je m'inoccupe. Je danse dans le velours de l'herbe coupée ras en détachant les syllabes de si-es-te que j'entrelace à l'autre mot magique: po-ta-ger.

Po-ta-si-ges-te passe sur les ailes de soleil comme le papillon qui se moque des parterres et vole droit vers le potager pour mourir en paix dans les choux.

Au bas de la pelouse, l'entrée du bois que j'avais aperçu ce matin du haut de la colline. La clôture enjambée, je pénètre dans un sentier où déjà quelques feuilles jaunies font des taches claires.

Avant le déjeuner, Antoine travaillait dans le bureau en rotonde, face au jardin, mais où les volets, comme presque tous ceux de la maison, étaient à peine entr'ouverts.

Ils sont blasés de lumière. Et peut-être que la pénombre aide Antoine dans ses recherches. Quelles recherches? J'ai beau fouiller mon souvenir. Je n'arrive plus à savoir. Pourtant c'était aussi beau et irréel que le reste. Inutiles en tout cas, comme les fraises sauvages ou leurs mots qui ne disent rien. «Il est séduisant, tu verras!» et une autre fois: «Antoine est adorable, j'aime vivre ici avec lui.» Je me baisse pour éviter une branche basse et le visage d'Antoine m'apparaît clairement.

Des yeux gris, proches de ceux de Gene par l'expression, l'ironie.

Je les distrais dans leur retraite. Je les amuse. Ils m'offrent ces vacances pour se donner bonne conscience. Une pauvre fille qui vend des souliers pour survivre! Comme elle était pâle! Elle a tant maigri que je ne l'avais pas reconnue tout de suite! Quel goût! Vendre des chaussures! Nous pouvons l'aider...

C'est Gene seule qui m'a invitée. Ma présence n'a pas fait plaisir à Antoine. Je l'ai remarqué.

Ce midi, il m'a adressé la parole trois fois. Adouci? Il en a pris son parti, je suppose. Mais vraiment, entre Gene et son oncle, j'ai parfois la sensation de n'être presque personne.

— Tu as gagné, m'a murmuré Gene ce matin, il te trouve charmante.

Charmante! Séduisant, adorable! Ils jouent avec le vocabulaire, comme je fais une patience, pour oublier les choses qui n'ont pas de mot.

Le bois est plus grand que je l'avais cru. Plus j'avance, plus il s'approfondit. Lorsqu'un sentier traverse le mien, mon regard s'enfonce dans des sous-bois sombres dont le mystère m'attire. Sous mes pieds, les aiguilles de pins étouffent mes pas.

Je retiens mon souffle pour entendre le silence.

Soudain une petite clairière illuminée de soleil. Aveuglée, étourdie, je me laisse tomber sur la mousse et je ferme les yeux.

Sauf de loin en loin un ramier, puis le bourdonnement des mouches qui tournoient dans la chaleur, un silence total.

Un silence comme je n'en connais pas. Depuis ma naissance, je vis dans le bruit des quartiers surpeuplés, les cris, les radios indiscrètes, les chasses d'eau, les vacances à la mer dans les foules d'août.

Ce bois privé livre un secret immaculé. Ses arbres n'ont

qu'un seul maître. Ici, personne n'a le droit de pénétrer, sauf eux!

Et aujourd'hui, moi!

A celui des résines précieuses se mêle un parfum de privilège que je respire avec respect.

Au-dessus de moi, les branches montent à l'infini vers le ciel.

Par un jeu cruel, je me persuade que je suis dans l'arrière-boutique et je garde un moment les yeux clos devant l'immense réserve de chaussures, petits cercueils empilés et numérotés.

Une cliente attend dans le magasin, déchaussée et impatiente.

Cette minute de rêve, je la vole délicieusement au travail.

Tristan et Iseult! Je me rappelle brusquement. Les recherches de l'oncle Antoine sur les origines de Tristan et Iseult! A mon éclat de rire, succèdent sans transition les larmes. Tout un feuillage au-dessus de ma tête oscille et se noie jusqu'au soleil.

Le visage de mon père était bleu d'une barbe que la mort avait fait pousser, et sa bouche ouverte sur des dents jaunies par le tabac. Je lui ai fermé les yeux. Je lui ai fermé la bouche.

Savait-il seulement qui étaient Tristan et Iseult?

Le soleil pénètre en oblique et tombe sur moi d'un coup.

Ma robe noire amasse sous son drap sombre une chaleur mouvante, si proche de la caresse que j'en frémis.

Ma jupe soulevée jusqu'à la taille, j'expose secrètement mon ventre aux rayons et au silence.

Tout est immobile, sauf la plus haute branche de l'arbre que le vent secoue en larges vagues, comme un va-et-vient lascif.

Toute ma chair est imprégnée par quelque chose qui ressemble étrangement à la volupté.

L'ardeur du soleil accélère ma respiration, m'essouffle sous sa caresse.

C'est alors, qu'à travers mes yeux mi-clos, j'aperçois, debout entre deux hêtres, Antoine qui me regarde.

D'abord je ne bouge pas. Me croit-il endormie? Je le fixe entre mes cils. Il porte la chemise kaki et le pantalon de velours du matin. Sous son bras, des livres.

Son regard indiscret et sage m'examine avec l'attention tranquille qu'il aurait à contempler un oiseau mort.

Il va partir!

Mais il reste là et j'attends. La chaleur a redoublé d'intensité et je sens la sueur rouler sur ma peau.

Qu'il parte!

Au contraire, il s'appuie contre l'arbre gravement.

L'âge a chiffonné ce beau visage, amolli les lèvres. Des lèvres que la vie n'a crispées que sur des colères d'enfant. Une vie menée docilement dans des traces déjà creusées pour sa facilité.

Ses yeux clairs sur moi deviennent insoutenables.

Je me dresse, et à genoux, je tire ma robe sous moi.

— Vous avez pris ma place, dit la voix nette aux mots bien articulés. C'est ici que je travaille l'après-midi.

Il s'approche. Je n'ose pas lever la tête et je fais tomber une à une, nerveusement, les brindilles accrochées à ma robe.

Il s'assied à côté de moi.

— Pas de vent. La solitude parfaite et de la mousse pour le confort!... L'endroit unique. Et vous, vous le découvrez le premier jour!

Parler! Ils adorent parler. Combler les vides, les silences, les cavernes de leur sentimentalité assoiffée!

Mon oncle est adorable!

— Vous ne dites rien? Je ne vous dérange pas, au moins?

L'ironie, je n'ai pas besoin de regarder son visage pour la sentir. C'est celle de Gene, exactement, coulée dans le même moule.

Une supériorité qu'on leur concède d'ailleurs, sans discuter.

Mais la chaleur m'accable. Je soupire, et tourne enfin la tête vers cet homme si séduisant. Non! C'est idiot parce que, vraiment, à cette minute il *est* séduisant.

Je me lève.

— Restez!

Sa main me retient comme si j'étais une chose importante soudain, un objet vital.

Gene en classe, lorsque je lui refusais (oh! rarement) une faveur. Elle était suppliante, puis tout de suite, devenait méchante parce qu'elle regrettait son geste.

— Asseyez-vous là… Je ne ferai aucun bruit. Je travaille. Vous pourrez dormir!

Je suis debout, la respiration un peu courte, prise d'une sorte de vertige.

— Asseyez-vous!

J'obéis. Comme tout leur est facile! Ils commandent et on leur obéit. Le ramier roucoule doucement. Je m'étends sur la mousse.

Il feuillette un livre, tourne des pages dont le papier se froisse. Je soupire à nouveau, enivrée de chaleur et de bien-être.

Antoine se penche sur moi. Une ride profonde étire son œil gauche. Une cicatrice qui dessine une ébauche de sourire. Mon oncle est si séduisant! Rien ne bouge, sinon les mouches qui dansent follement. Antoine touche mon épaule. L'alliance a brillé une seconde. Non. Non.

Il n'est pas combatif. Il retire déjà la main. Un hochement de tête suffit à l'écarter. Tout lui a été donné, toujours.

Il tourne à nouveau les pages de son cahier. Un très gros cahier toilé, merveilleusement comblé de mots.

— Puis-je voir?

— Restez couchée. Vous le regarderez plus tard.

Il arrive à la page à moitié blanche, aux dernières phrases qu'il a écrites.

— Ce qu'il y a de curieux dans cette légende...

Il s'arrête.

J'ai rejeté la tête en arrière et les arbres se mettent à grandir au-dessus de moi. Leurs cimes touchent à un autre univers, si profond que j'en perds l'équilibre.

— Vous pleurez? demande Antoine.

— La lumière! Je ne suis pas habituée. Au magasin: néon toute la journée...

J'essuie les larmes du revers de ma main. Pourquoi me suis-je mise à trembler?

— C'est une très belle histoire. La connaissez-vous? Aimez-vous lire?

— Je n'ai plus le temps de lire.

— Il faut prendre le temps...

— Tout est tellement compliqué! Le ménage, le ravitaillement, le travail et mes études en plus...

Est-ce qu'il entend ce que je dis? Si je lui parlais pendant des heures, est-ce qu'il comprendrait seulement?

Il a gardé sur les lèvres le sourire de Tristan.

— Il ne faut pas cesser de lire, dit-il, jamais, sous aucun prétexte, sinon quelque chose s'en va et on ne le retrouve plus.

— Mais j'aime lire... c'est le temps, la fatigue... Sinon, j'aime.

— Alors, il faut. Si vous aimez, il faut, répète-t-il en souriant toujours.

C'est fini. Je me relève et je secoue ma robe.

— Vous partez? fait-il d'une voix d'enfant déçu.

A l'école gardienne, il y avait un petit garçon que j'aimais et qui portait à l'œil, la marque d'un coup. On racontait que son père le battait. Il était doux et si faible,

33

que je jouais toujours à être sa maman.

— Laure! Pourquoi vous en aller?

— Je vous empêche de travailler. C'est votre coin, d'ailleurs...

— Pas du tout... Nous pouvons très bien y tenir à deux, non? Gene m'a beaucoup parlé de vous. Je vous connais depuis des années! Des années!

Il est sûr de me retenir grâce à ce temps écoulé, à son geste de la main vers moi. Mais je ne bouge pas.

— De quoi avez-vous peur?

— Je n'ai pas peur, dis-je en rougissant.

Voit-il que je tremble sous ma robe? Je fais un pas vers le sentier, puis un autre, lentement. Je le déteste. Il vit sans problème, avec Tristan et Iseult dans un cahier, pendant que la guerre saigne partout!

Fraises au sucre! Sieste! Potager!

Son visage s'est durci. Sa bouche se pince. Il a vieilli soudain.

Alors, je lui tourne le dos et je m'enfonce dans le bois.

La sortie de la nuit, l'arrivée au village, la rencontre dans le bois, tout cela est bien clair dans ma mémoire et coule de source.

La suite semble s'accélérer. Le cours de mes souvenirs prend des chemins capricieux, divers et je m'essouffle à les suivre.

Un voile s'étend sur nous, sur Froidmont et son charme, sur ses silences qui pâlissent, les invraisemblances.

C'est le premir soir, je crois, que sont venus leurs amis.

Avant leur arrivée, nous sommes, Gene et moi, dans sa chambre.

Elle a tenu à ce que j'essaie une de ses robes, par jeu.

Puis elle veut à tout prix que je la garde pour la soirée.

Elle insiste aussi pour me coiffer. Docile, je m'assieds devant la coiffeuse et elle m'arrange un haut chignon. Pendant qu'elle s'affaire autour de moi, j'observe ses traits fins, ses lèvres humides, son sourire nacré.

— Tu grandis ! Tu grandis ! s'écrie-t-elle et lorsqu'elle s'écarte de moi afin que je puisse me voir dans la glace, les vides qu'elle laisse chargent l'air aussitôt d'un parfum poivré.

Jour de fête ! Le jasmin imprègne aussi sa robe que je porte et je ne me reconnais plus.

Les doigts de Gene m'ont transfigurée et son parfum a substitué son âme à la mienne.

Je deviens Gene, je suis Gene.

— Tu vois, dit-elle, tu tords la masse des cheveux et tu triches. Tu fais semblant de serrer, mais tu leur donnes au contraire tout leur volume...

La joie me rend sourde.

C'est Gene qui m'occupe, ses bras lisses qui frôlent ma joue, le frou-frou du jupon qui tourne, tourne et danse autour de moi.

Pourquoi, comme son oncle, Gene n'a-t-elle jamais l'air de vivre réellement? Pourquoi, lorsqu'ils parlent, vais-je comprendre autre chose? Et s'ils rient, je me pose mille questions.

A l'école déjà je cherchais tout au long de l'année, ce que cachait son front frangé de mèches noires. Quel est le secret de leur diction parfaite? Quelle magie se dissimule dans le jasmin de ses cheveux, pourquoi s'habille-t-elle en rose comme une fille-fée?

Et Tristan? Lui aussi possède ses charmes, ses recettes, les clefs d'un mystère.

Leur image baigne dans une lumière étrange et le souvenir s'y perd. Gene jouait, ou se fâchait. Mais jouait-elle ou se fâchait-elle?

Par quel cheminement ma mémoire nous revoit toutes les deux, joue contre joue, devant ce miroir mal éclairé.

Nous sommes immobiles, échangeant la chaleur de notre sang et comparant nos visages. Quelques instants seulement ou bien cela dure-t-il, comme dans mon rêve, indéfiniment?...

Je suis frappée par ma pâleur à côté du merveilleux hâle de Gene.

— Toi, tu es la madone, dit Gene.

Et toujours dans cette fête, elle m'entraîne en riant, nous tombons sur le tapis. Gene ne me lâche pas et la soie de ses cheveux m'aveugle, son poids rose et le rire me paralysent.

Elle me souffle dans le cou sa joie chaude et humide en

criant :

— Si je te mords, je te mords... Si je te mords...

Quand nous apercevons Antoine, la main sur la poignée de la porte et l'air hostile, nos rires cessent aussitôt. Est-il là depuis longtemps ?

— Tu aurais pu frapper ! lance Gene sèchement en se levant.

Elle va à la coiffeuse et commence à se brosser lentement les cheveux.

Moi, sous le regard d'Antoine, je rassemble les épingles éparses sur le tapis... Mon chignon défait me tombe sur les épaules.

Le silence se prolonge et lui reste là, je ne sais pourquoi. Ils aiment les situations équivoques. On dirait qu'ils en créent exprès.

Enfin Gene se tourne vers son oncle et crie :

— Entre ou sors ! mais ferme cette porte !

Alors seulement, il quitte la chambre.

— Parfois je le déteste, dit-elle en me tendant la brosse. Comment le trouves-tu, toi ?

Je me recoiffe comme Gene l'a fait, trichant pour gonfler la masse, la tordant sans serrer.

— C'est bien ?

— Tu tomberas amoureuse d'Antoine ! dit-elle en se rongeant un ongle.

— C'est pour ça que tu m'as invitée ?

Nous nous toisons. Puis Gene traverse la chambre de son pas souple. J'attends sa colère qui peut jaillir comme une lance et me frapper si efficacement. Elle saisit sur la cheminée le flacon d'eau de Cologne. J'observe son sourire, hésitant encore sur le choix qu'elle fera de rire ou de me punir. Mais c'est la joie qui triomphe, une joie qui sonne le glas et fait plus mal que sa colère.

— Je t'adore ! Je t'adore ! Je t'adore !

Elle tourne sur elle-même et son jupon s'ouvre en corolle sur ses longues jambes brunes faites pour la danse.

Sa grâce éveille en moi le vieil émoi de l'admiration.

En classe, parfois, pour rompre une dispute, elle faisait de même, chantant sa séduction avec une sûreté bien à elle.

— Tu es la plus belle fille que je connaisse.

Gene ne répond pas. Elle a oublié.

— Mets-en sur ta main droite, dit-elle en me montrant le parfum. Claire vient ce soir avec son mari. Je veux qu'il t'aime d'emblée !

Elle lance ses ordres. Elle décide de ma soirée, elle indique d'un mot, que je dois conquérir pour brouiller les cartes à son gré.

En détournant les yeux, je me vois dans la glace.

— Comme je suis pâle !

— Une madone, oui ! Tu seras plus belle que Claire. Elle en crèvera !

Et Gene retrousse les lèvres, comme une chienne de luxe qu'on agace.

Dans le domaine de Tristan, j'ai oublié la guerre. Ne seraient-ce des détails, qu'est-ce qui me la rappellerait? Nous attendons sur la terrasse l'arrivée de Claire. L'obscurité est totale, les volets bien clos sur le salon éclairé. Cette occultation des lumières, nous y sommes si bien habitués après trois années, que nous y veillons sans même réfléchir.

Le jardin est plongé dans un silence lourd d'ombre, et les odeurs, elles, surgissent avivées. La terre humide rend ce qu'elle a pris au soleil tout le jour, et l'herbe fraîche, et la grande haleine des arbres.

Le moindre bruit se perçoit dans cette nuit et la présence humaine se devine et se multiplie.

Au bout de l'allée, le faisceau de la torche électrique accompagne les pas de Claire sur le gravier.

— Tu es seule? demande Gene en s'avançant.

— Richard me suit, il donne des ordres au garde, dit une voix sans visage, mais qui fait surgir en moi celui d'une écolière pointue et froide.

Antoine entrebâille le volet, et l'on s'engouffre en hâte dans le salon. La lumière fait cligner des yeux. J'aperçois Claire, embellie, étincelante comme un joyau. Elle est femme, maintenant, avec une expression ciselée par une longue habitude de la beauté.

Gene l'embrasse et je la sens conquise aussitôt. Elle a oublié son projet, c'est à peine si elle me présente. D'ailleurs, Claire et moi, nous connaissons très bien. La distance entre nous a simplement doublé.

— Tu te rappelles Laure? fait Gene avec un sourire qui achève de m'envoyer sur une autre mappemonde.

— Bonsoir! dit Claire.

Elle prononce «bonsoî» d'une très jolie manière, et ses lèvres restent entr'ouvertes comme par peur de heurter les mots.

Jolie aussi, sa main, au bout d'un bras cerclé d'anneaux d'or qu'elle assouplit pour recevoir d'Antoine un baise-main trop attentif à mon gré.

Suis-je un végétal nourri d'humus? Un poisson des grandes profondeurs remonté en surface et qui crève déjà?

Ils parlent et leur langage m'est incompréhensible. Leur langue plutôt, car le ton est insolite, le sens des mots bizarre.

Comme si leurs voix ne m'étaient pas entièrement perceptibles et que des parties de phrases m'échappaient, laissant des blancs. Leurs bouches émettent de la musique semblable au cliquetis des cristaux. On me tend un porto couleur de sang chaud. Tout le monde boit à la victoire et je lève, comme les autres, mon verre, mais je ne participe à aucun rite humain. Je suis là, par hasard et ma vie va s'évanouir d'une seconde à l'autre.

Personne ne me voit et je ne vois personne. J'ai gagné la terrasse, refermé le volet sur le salon qui bourdonne sans éveiller la moindre attention.

La fraîcheur de la nuit me rend à moi-même. Je frissonne dans la robe décolletée de Gene, mais ce froid-là est délicieux.

Je cherche à deviner le dessin de la pelouse, l'allée de gravier et les grands marronniers sombres.

J'aspire inlassablement l'odeur de l'été. C'est le bonheur.

Un moustique passe et chante sa guerre à lui. Un fringant moustique campagnard. Rien de commun avec les faméliques insectes des villes que l'on écrase sur un mur gras de cuisine.

— Pique-moi! Endors, endors tout en moi. Papa, la guerre, le magasin...

Du salon, une voix plus haute interrompt mon rêve:

— Ma tapisserie est presque terminée. J'achève la tête de sanglier...

Une tête de sanglier au petit point vaut des centaines de journées au néon, des milliers d'heures à grelotter dans une queue, devant une boucherie sans viande, une boulangerie sans pain.

Une tête de sanglier! Que la vie se réduise à cette voix effilée comme une aiguille de tapisserie, à quelques mots nageant dans du porto couleur de sang sucré.

Soudain le volet grince et Antoine est là, seul avec moi dans la nuit.

— Que faites-vous ici?

Il est tout près, et lui aussi à présent, est parfumé. Lavande discrète et inoubliable.

— A quoi pensez-vous, Laure?

Je me tais. Je décide que je cesserai de leur servir de jouet.

Mais il passe son bras autour de mon épaule et le jardin muet s'engloutit comme une île immergée.

Un crapaud nocturne appelle.

— Est-ce vrai que vous faites des études?

Puis après un bref silence:

— Quelles études? Gene vient de nous dire que vous travaillez pour les payer.

Gene le lui a dit ce matin.

Comme ils se ressemblent, savants tous deux à me faire avancer sur une arête vive.

— Je suis méritante, n'est-ce pas?

Je l'ai dit aussi doucement que j'ai pu, mais ma colère l'a frôlé. Il me serre un peu contre lui, puis m'abandonne. J'entends qu'il cherche ses cigarettes en allume une, et la flamme éclaire un instant son visage. Pourquoi ce flot de tendresse en moi, ce regret immédiat? Envie de le toucher, de dire merci, de fermer les yeux pour sentir mieux sa présence.

— Vous êtes une drôle de fille, dit-il très bas. Puis soudain, en me tutoyant comme depuis toujours:

— Tu restes combien de temps?

Je lui appartiens déjà. Rien ne lui résiste. Il est revenu, m'a prise par les épaules, et caresse légèrement la peau nue, au-dessus de mon décolleté.

Le tabac, son haleine chaude et proche, la lavande et le jardin, tout se mêle au silence. Qu'Antoine se taise et le charme grandira...

Mais il parle. Parler, faire semblant, politesse du verbiage!

Remplir les vides. Je ne réponds plus. Je veux jouer au jeu qui m'amuse moi.

J'écoute ses doigts, sa paume caressante à mon épaule. J'entends sa respiration, les mouvements de sa voix devenue chuchotement. Le reste ne compte pas. Pour lui non plus. J'en ai la preuve. Tout est jeu dans ce château, du baisemain aux recherches historiques. Je traverse, ici, un terrain de croquet où je ne m'étonnerais pas de rencontrer des valets de cœur peignant des roses en rouge. Ah! Si j'étais Alice!

Une preuve pour moi que je vis intensément, c'est quand je me pose un tas de questions. Bonheur ou grand chagrin s'accompagnent toujours de points d'interrogation sans réponse.

Ici, dans le salon où le porto empourpre les cristaux, je cherche vainement quelque chose d'indéfinissable et qui m'échappe.

Richard nous a rejoints, grand, élégant.Il claironne son existence d'homme choyé à travers des mots d'un autre âge. Les bijoux de Claire rendent un éclat si vif, qu'ils attirent malgré moi mon regard distrait.

Ils parlent, rient et boivent, comme si rien d'autre ne devait jamais arriver. Ils portent le masque impénétrable d'une gaieté de film publicitaire.

— Les gardes sont-ils de connivence? lance Richard, on n'a jamais tant braconné sur mes terres!

— Ça fait des années que tu n'as plus vu Claire, dit Gene en me regardant. Je souris. Gene est assise dans le grand divan, tache rose sur le satin. Je connais son parfum de jasmin, poivré et doux comme le velours de ses joues.

— ...A l'université? demande Claire et comme je parais surprise, Gene dit avec reproche:

— J'expliquais ta vie, tes études.

— J'y ai fait mes deux premières années, mais à présent je ne passe que les examens. Il me semble que je récite un texte qui les ennuie.

— Quelles études? demande Richard qui m'examine.

— Comme c'est intéressant! s'exclame Claire en renversant la tête pour montrer son profil.

— Votre nom me dit quelque chose... La Banque nationale probablement?

— Non.

— Le champion de tennis, alors? insiste Richard.

— Je ne suis de la famille de personne.

Un vrai silence. Le premier depuis longtemps.

C'est Gene qui le rompt très naturellement.

— Tu sais, Antoine, qu'ils ont un nouveau système d'irrigation pour leurs plants de tomates?

— Nous avons acheté une pompe électrique, et, pour autant qu'il y ait du courant, c'est prodigieux! Nous consommerons moins d'eau, mais elle sera mieux répartie.

— Nous sommes des chançards. Nous avons la source, dit Antoine en souriant à Richard. Il parle, mais cette fois il fait un effort. Je le sens ailleurs.

Moi aussi, j'achève de me dissoudre. Je glisse sur des espaces infinis qui changent les proportions du salon devenu trop petit.

L'air est saturé de parfums et de fumée de cigarettes. Un nuage épais me sépare d'eux.

Est-ce vrai que la guerre broie le monde?

Je regarde les deux femmes, jolies sur le divan de satin gris. Leur déshumanité me fascine.

Visages lisses, mains blanches et pures... Le mois passé, au magasin, on a renvoyé Germaine parce que l'arthrite lui déforme les mains. Elle a cinquante ans et elle ne retrouvera pas facilement du travail!

— Par contre, à cause de l'humidité, le salpêtre envahit les garages.

Mon chignon pèse des tonnes, et je m'adosse à la haute cheminée. Je serre mon verre à deux mains et je bois pour me donner du courage. Est-ce un peu d'ivresse, le début des vacances ou déjà, le désarroi de l'émigré éperdu de fuite?

Mes pensées retournent d'elles-mêmes vers cette nuit que je croyais avoir tout à fait quittée et où la guerre marche à pas cloutés.

De nouveau Antoine est près de moi et me fixe, l'œil gauche étiré par la cicatrice.

— Ne bois plus. Ce porto est infect.

Il me le prend et le place sur un guéridon.

— Je n'ai jamais rencontré de femme comme toi!

Il a comme mon père, les dents noircies par le tabac et la lèvre supérieure amincie. Pourquoi cette journée n'arrête-t-elle pas de palpiter?

— Tu es belle!...

J'entends à travers des éclats de voix qui m'arrivent de très loin, et Antoine est si proche... Je hoche la tête. Non.

Les yeux d'Antoine sont limpides.

Et si brusquement je me réveillais? Si ce n'était qu'un rêve et que je retrouve d'un coup ce qui faisait ma vie, hier encore, mais lacérée de lambeaux tout vifs de souvenirs?

Depuis l'aube on me prépare à ces noces avec le néant. Les yeux gris qui m'éblouissent de chaleur, me chavireront tôt ou tard dans ma nuit.

— Pourquoi non? demande Antoine.

— Ça m'aide...

— Que se passe-t-il? Laure, pourquoi ces non? Non à quoi?

Je saisis mon verre et je bois vite le poison sucré qui tremble. Antoine me le reprend et nos doigts se touchent.

— Tu penses trop à demain. Demain c'est un autre jour. Moi, je n'y pense pas, jamais.

— Vous ne pouvez pas comprendre. La vie est si facile pour vous!

— Crois-tu!

Pour la première fois, je vois une pointe de sang dans les yeux d'Antoine. Mais il détourne la tête vers l'âtre. Tout le monde se tait pour écouter le grand ronronnement des bombardiers américains qui volent vers l'Allemagne.

— Ils vont nettoyer une ville! s'exclame Richard avec une joie étrange.

— C'est tous les jours à présent, dit Gene. Avez-vous écouté les nouvelles?

— La fin approche, fait Antoine.

— Moi je ne crois plus à la fin, dit Claire. Ça dure, ça dure! On attend toujours. On dirait qu'ils ne se rendent pas compte qu'on attend, ici!

— Moi, affirme Richard, je refuse de croire à la guerre. C'est une affaire de volonté. Je nie le concept guerre. Simple concept d'émotion. Pour moi : pas de guerre.

Et d'un geste, il rase une table, flanque par terre toute une guerre en concept.

Gene est allée chercher du café et on ouvre une boîte de croquettes en vrai chocolat.

Fête! Chocolat! Café d'avant-guerre! Personnages en porcelaine! Cela me fait penser aux tickets de pain que je donnerai demain à Gene. Elle les refusera et ce sera autant de gagné sur le mois!

Le chocolat glisse sur les papilles de ma langue affolée de gourmandise. Le café, je le bois par très petites gorgées, je le garde en bouche aussi longtemps que possible. Mon chocolat s'enrichit du café, se coule en lui, me fait vivre un moment parfait.

— C'est une de nos dernières boîtes! Il est temps que la guerre finisse!

Antoine a disparu. Son café refroidit dans la tasse, il m'obsède. Je tente de suivre une conversation animée, mais ma pensée revient sans cesse au café, tache noire qui brille comme un diamant de promesse.

On discute et je cherche à comprendre de quoi, et plus je cherche, plus le vide et le café occupent mon âme.

Antoine ne revient pas et la boîte de croquettes est ouverte sur la table sans que personne ne songe plus à en offrir.

— Combien de classes ?

C'est Gene qui m'interroge. Tous trois sont tournés vers moi et attendent.

Classes de quoi ? Pourquoi me posent-ils cette sotte question ? Je puis répondre à des milliers de problèmes assez simples, mais à cela ?

— Tu ne te sens pas bien ? demande Gene.

— Si, si, très bien.

Mais ce coup de feu, d'où vient-il ? Car c'est bien un coup de feu, je connais ça.

Des choses se passent dehors et le salon est blanc.

Tout le monde est givré de peur, raidi comme un drap pris dans le gel d'un jardin d'hiver.

— Éteignons, souffle Richard. Il se dirige vers l'inter-rupteur, mais Gene lance un :

— Non ! qui l'arrête.

Dehors, plus rien. Je ne résiste pas. Je demande :

— Ton oncle ?

Mais personne ne répond.

— C'était ce soir ? dit Richard et Gene fait signe que oui.

— Pourquoi ne m'a-t-on pas averti ? J'aurais aidé...

— Tu as fait ce qu'il fallait. Ce soir, nous sommes entre amis. N'est-ce pas ? dit Gene avec insistance en nous regardant tour à tour.

Richard ébauche un sourire, mais l'angoisse lui jaunit le nez.

— Ce coup de feu n'a aucun rapport, Paul et Jean l'aident et ce sera comme d'habitude, poursuit Gene, et je comprends une fois de plus que les mots ont un autre sens.

Richard remplit les verres et je vide le mien machinale-ment.

Quelques secondes plus tard, Gene m'apparaît longue et mince dans un nuage de tissu rose. Le temps me sonne aux oreilles.

Non, c'est le retour des bombardiers qui bourdonnent à deux milles au-dessus de nous.

— Mission accomplie! lance Richard et la même joie éclaire sa face. Le feu et les flammes l'amusent. Entend-il les cris, les brasiers? Sont-ce les flammes qui redonnent à ses joues la couleur un moment disparue?

Et l'avion manquant? C'est vrai! Leur mort est glorieuse.

Il y aura des discours et des citations. Et les larmes des mères seront des rubis que l'on recueillera dans des coupes d'or massif.

Mon père à moi est mort dans un lit de fer. Les draps sentaient la sueur et l'urine. Son visage était brouillé de larmes. Pas des rubis. Ce n'est pas la guerre qui l'a tué. Je n'ai pas pleuré.

J'ai nettoyé, nettoyé, rangé, couru ici et là, payé des factures, attendu les funèbres et j'ai suivi le cercueil sous un soleil de plomb. Il n'y avait pas de place en terre, alors on a glissé le cercueil dans un caveau, en attendant.

Tant mieux. J'appréhendais la pelletée qui tombe. On dit que c'est le moment de la vraie mort. Je n'ai donc pas vu sa vraie mort.

— Buvez, dit Richard, en me tendant un verre rouge.

La conversation a repris. Antoine est revenu. N'importe. Rien, ici, ne me concerne. Cette journée est passée à côté de moi. J'ai simplement eu le privilège de la voir.

Le mot «perquisition» s'échappe de la grande bouche de Richard, comique de gravité.

J'éclate de rire.

Quelqu'un m'emporte. Des voix s'affairent vives et multipliées.

Je monte, je monte, je monte. Quelqu'un soutient mon

corps léger comme un rayon de soleil. Dans le noir d'un couloir interminable une bouche m'embrasse les lèvres.

C'est Antoine qui dit aux poissons restés en bas :

— Je préfère que vous ne quittiez pas le salon.

Antoine ! Antoine !

Il me dépose sur le lit tendu de cretonne fraîche. Je me réveille doucement.

— Restez !

C'est moi qui le supplie.

— Restez !

— Cette nuit. Plus tard. Je viendrai te rejoindre plus tard.

— Tout de suite !

Antoine m'embrasse, s'appesantit un instant sur moi, puis se redresse.

— Restez !

— Laure, ne fais pas de lumière... Tu m'entends ?

— Pas de lumière. Je ris de nouveau.

— Chut ! Dors maintenant.

Il s'en va.

Seule.

La branche du marronnier derrière la fenêtre ouverte me tend la main, m'attire. Je plane au-dessus de la nuit, jusqu'à cette fenêtre d'où je m'envole aussi gaie, aussi vide que les mots, le sourire d'Antoine, ou Gene dans ses jupons roses.

— Laure!

Mon nom au fond d'un trou.

— Laure!

La boue jusqu'aux chevilles, le mur poisseux, glissant sous mes doigts crispés.

— Laure!

Ah! c'est Gene. Je grelotte, toute habillée sur le lit. La lune à travers la fenêtre brille hostile et douloureuse.

— Qu'est-ce qui t'a pris? Pour deux verres de porto!

— Du porto, oui. Plus que ça!

Cette lune me perce la tête. J'ai mal.

— Tes mains sont glacées, dit Gene gentiment. Antoine aurait pu te couvrir!

Antoine!

— Quelle heure est-il?

— Quatre heures. Lève-toi... Ne reste pas là! Tu gèles... Non, n'éclaire pas. Où est ta chemise de nuit?

Je me change en hâte, parce que j'ai de plus en plus froid.

Gene, dans sa robe de chambre, me regarde, les mains dans les poches.

— Ils sont dans le bois, dit-elle enfin et je m'aperçois seulement qu'elle aussi tremble.

— Tu as froid? Comme moi?

— Ils fouillent le bois! C'est terrible!

Sa voix assourdie est rauque d'angoisse. Son visage, à cause de cette lune détestable est marqué d'ombres dures.

Des traits d'acier.

— Je n'ai jamais pu supporter la lune, dis-je. Tu es blafarde comme si tu mourais de peur.

— Je meurs de peur! Ils fouillent le bois! Es-tu sourde? Couche-toi, vite. Je me glisse à côté de toi. Nous aurons plus chaud. S'ils montent jusqu'ici, s'ils nous interrogent, nous répondrons: on a passé la soirée à boire et à fumer avec des amis. Pas un de nous n'a quitté le salon une minute... D'ailleurs, les preuves sont là, cendriers, verres et tout.

Je commence à me réchauffer doucement. Gene parle bien, avec autorité, comme s'il s'agissait de quelque chose de sérieux.

J'ai sommeil à me rendormir en une seconde, mais je m'efforce d'écouter.

— Ta robe est chiffonnée. C'est idiot. Je ne voyais plus clair tout à l'heure.

— Aucune importance. Tu ne bois jamais?

— Jamais. Je la repasserai demain.

— Quoi? La robe? Il s'agit bien de robe! D'ailleurs garde-la. J'en suis fatiguée.

Ne pas dire merci. Abandonner la robe dans l'armoire, qu'elle la retrouve dans un an rongée de vers.

— J'ai sommeil, pourquoi ne pas dormir?

— Tu entends? Ils sont dans le bois.

— Si on fermait la fenêtre. Cette lune...

— On ne touche à rien. Antoine a dit: faire le mort.

— Pourquoi ne dormons-nous pas alors?

— Parce que nous avons peur, c'est tout.

C'est vrai. Gene a peur. Elle tremble.

— Tu les entends?

Rien. Jamais je n'ai connu une nuit aussi calme. Le silence prend même un tel volume au-dessus du parc, qu'il pénètre dans la chambre et devient étouffant.

— J'ai mal à la tête. As-tu de l'aspirine?

— Tu ne supportes pas le porto. C'est ça.

Gene est agacée.

— Il y en a dans la maison?

— A la salle de bains. Mais n'y va pas maintenant. Reste ici.

Bien. Les tempes me battent et je donnerais quoi pour dormir!

Mais Gene m'ordonne de rester éveillée, le cerveau en bataille.

Des pas sur le gravier, très nettement, qui courent et crissent.

Gene s'arrête de respirer. Elle se colle à moi et me réchauffe.

J'ai tendance à fermer les yeux, et aussitôt je m'endors.

Mais Gene veille. Elle me secoue, me parle.

— Ne me laisse pas seule! Tu ne te rends pas compte, c'est grave!

Je joue avec elle à écouter les bruits. Nuit de vacances. Regarder la branche de marronnier, noire sur fond de lune...

— Dis quelque chose!

— Oui.

Que dire dans cette lumière qui me brise?

— Ton oncle? ... marié?

— Il a deux filles.

— Sa femme? Elle ne vient pas ici?

— Ah non! D'ailleurs, il vit ici parce qu'il doit... Elle est en ville avec les gosses. Tu n'entends rien?

J'écoute l'énorme silence. C'est le silence des grandes lunes hostiles et pleines qui donnent à tout, des ombres trop noires, profondes et inquiétantes.

— Quelle heure est-il?

— Tu me l'as déjà demandé. Quatre heures environ.

Puis soudain avec fermeté:

— Change de métier!

On est beaucoup mieux les yeux fermés. Gene bavarde

et sa voix ronronne dans mon demi-sommeil semblable à la demi-réalité de la journée.

— Pourquoi ne fais-tu pas autre chose ?

— Bientôt je serai professeur.

— En attendant est-ce bien nécessaire de vendre des souliers ?

— Tu es maniaque. Ici, ce sont mes vacances… Oui ? Si tu veux que nous restions éveillées, j'aimerais que nous écoutions la nuit. Je n'ai jamais…

— Papa a des relations. Je lui parlerai de toi…

Elle ne parlera pas. Elle m'oubliera sitôt que j'aurai franchi la grille de son jardin.

— Papa ne sait rien des histoires d'Antoine, s'il savait ! Il serait furieux ! Tu penses ! Ici !

— Tu as dit : Antoine doit vivre ici. Pourquoi ?

Nous partageons mon oreiller et le jasmin poivré est là tout près de mon visage.

— En tout cas, si jamais ils viennent et qu'ils t'interrogent, tu répondras que tu ne sais rien, que tu n'as rien entendu. Pas de coup de feu. Tu comprends ? On riait, on dansait. On était entre amis.

— Pour moi, cela ressemble à du guignol.

— Tu es folle ! Antoine se cache ici. Il ne peut plus rentrer en ville. Son réseau a été dispersé. Maintenant il fait de petites choses avec Jean et son frère. Seulement pour aider…

Elle se tait un moment, je sens qu'elle attend que je pose des questions. Enfin elle poursuit plus bas :

— J'avais peur dans ma chambre, toute seule. Cette nuit, ils sont allés trop loin. Je veux bien qu'ils prennent les papiers d'identité ou des tickets de ravitaillement. Organiser des départs aussi. Soit. Mais pas des histoires comme cette nuit ! Antoine exagère !

Ses ongles grattent nerveusement le drap. Elle soupire :

— Antoine exagère !

Comme je la connais bien! Elle n'a pas changé. Livrer un secret? Non. Mais se le faire arracher, contrainte, le donner pressée par la curiosité qu'elle suscite. En classe aussi, elle parlait à demi. Il fallait qu'on la supplie encore et encore.

Alors elle ouvrait la porte malgré elle, et vous faisait pénétrer dans la cachette.

Et après, très vite après, elle se fâche et regrette et trépigne. Elle n'aurait jamais dû se laisser forcer la main. On est indiscret. Elle vous déteste.

Non. Pas une question, pas la moindre question. Qu'ils s'arrangent, que Gene tremble, que la maison s'ébranle sur ses fondations, je ne demanderai pas ce qui se passe.

D'ailleurs, ce sont mes vacances à moi. Les problèmes, j'en sors.

— Parle! Dis n'importe quoi... Tu es là comme une pierre.

Va-t-elle se mettre à pleurer? Non. Mais la lune entre dans la chambre, va et vient comme une haleine glacée, saccade les mots de Gene, les transforme en sanglots.

Gene enfant! Cette nuit tu as vraiment peur. Quand tu trembles, je t'aime beaucoup.

Ma main, qui caresse ses cheveux soyeux, la calme.

C'est l'animal en elle qui reste le plus doux. Tout le côté appris, éduqué, refroidit son corps chaud et souple. Si elle pouvait oublier son nom, elle deviendrait délicieuse et bonne à regarder.

Elle rejette la tête sur l'oreiller et nos cheveux mêlent leur soie.

— Antoine exagère, répète-t-elle. Il a même proposé de le cacher ici, dans notre propre maison! Tu te rends compte! Un Allemand ici!... C'est Jean l'idiot! Au lieu de le tuer, il le fait prisonnier. Peut-être qu'on aura besoin de toi, demain. Paul a un plan. Ils en discutent...

Mais qu'est-ce qu'ils vont en faire? Laure, tu ne dis rien. Tu vois, à présent comme c'est grave?

54

Je me ferme.

Gene prend ma main.

— Tu ne m'aimes plus autant qu'à l'école, n'est-ce pas ?

L'amitié peut n'avoir pas changé de place, ni de forme, mais ressembler soudain à un fossile blanchi et friable.

— Tu te souviens ? Tu as pleuré, un jour, parce que j'ai refusé de jouer dans ton équipe ?

C'est vrai. Et chaque fois que j'y repense, la gorge me serre encore.

— Tu es savante en cruauté, dis-je.

— Il y a quelque chose de tranquille en toi maintenant. A l'école tu étais comme un chat écorché.

— Je ne crois pas qu'on change, mais je n'ai plus le temps de m'occuper de sentiments. C'est la vie qui arrange ça.

— Tu es fiancée ?

— Pas vraiment fiancée.

— Moi, j'attends la fin de la guerre. Ceux qui sont ici n'ont aucun intérêt. Les vrais sont partis.

— Les vrais quoi ? Mes yeux suivent un dessin au plafond.

— Les vrais hommes évidemment. Il y a bien les résistants, mais on ne les connaît pas. Je veux être sûre d'épouser un héros.

— Un héros !

De nouveau je m'éloigne. Quel sens ont ces mots pour Gene ?

Qu'est-elle en train de confondre avec la chaleur humaine ?

— Je ne ferai pas ma vie avec quelqu'un que je méprise.

— Je comprends, dis-je pour l'arrêter. Mais elle tient à son idée.

— Un type auprès de qui je sentirais la lâcheté à tous les instants. Non. Richard est très bien. Il ferme les yeux sur les vols de tickets ou les papiers au bureau de ravitaillement. Mais je n'appelle pas ça un héros... Tu soupires. Je t'ennuie?

— J'ai sommeil.

Quelqu'un marche dans le couloir. Si c'est Antoine, je deviendrai sa maîtresse pendant ces vacances... Mais ce ne peut être qu'Antoine.

Une porte s'ouvre, se ferme. Une autre, puis une autre. Les pas approchent. Enfin, sa voix en sourdine:

— Gene!

— Entre, lance-t-elle.

Du noir du couloir à la pénombre de la chambre, Antoine nous aperçoit dans mon lit.

— Vous dormiez?

Il est toujours habillé, mais quelque chose dans sa tenue indique le désarroi. Sa chemise est ouverte sur une poitrine ombrée de poils et ses yeux sont noirs de cernes profonds. Est-ce la lune qui lui donne cet air de tragédie?

— Assieds-toi, dit Gene.

— Que fais-tu ici? Vous feriez mieux de dormir à cette heure!

— Tu t'imagines qu'on pourrait! Ils sont toujours dans le bois?

Antoine s'assied sur le bord du lit. Sa silhouette se profile sur le fond trop clair de la lune. Je demande:

— Vous avez des ennuis?

— Je voudrais être là, comme vous, à bavarder.

— On bavarde parce qu'on a peur, dit Gene avec amertume. Et Laure meurt de sommeil.

— Alors il faut dormir!

— Ils sont partis?

Il hoche la tête.

— Ouf! fait Gene en se renversant sur l'oreiller.

Antoine a saisi mon pied dans la couverture et le caresse.

56

— Est-ce que tu m'as attendu? me demande-t-il comme si Gene n'allait pas entendre. Était-ce même à moi qu'il s'adressait? C'est Gene qui répond:

— J'attendais, oui. Qu'avez-vous décidé à la fin?

— Rien encore.

Il est voûté par la fatigue, mais sa main continue à jouer avec mon pied, très doucement.

— Sa blessure est profonde. Jean a fait l'imbécile. Mais qu'est-ce que ce type faisait tout seul sur la route? Jean prétend qu'il le suivait. Je n'en suis pas sûr du tout.

— Pourquoi ne pas en finir tout de suite, comme Paul suggérait.

— Gene!

— C'est un Allemand, non?

— Et alors?

— Un Allemand!... Il ne se gênerait pas lui. Pourquoi ne pas le tuer tout à fait? Vous faites les choses à moitié.

— Tu es folle? Mais j'ai défendu qu'on mêle Charbonnier à l'histoire. Un collaborateur!

— Et le docteur de Saintsart?

La lune est descendue dans le carré de la fenêtre.

Au bout du lit, Antoine n'est qu'une ombre chinoise. Ils parlent de sang sur le chemin, de sable, de la mort qui attend dans la maison du jardinier, de ceci, de cela.

Ils parlent, mais la clarté blanche étire les mots, les déforme, les aveugle. Je n'ai aucune difficulté à m'isoler, comme je le fais depuis si longtemps. Refuser ce qui chasserait le paradis. Je suis morte. Rien n'est plus immobile que le refus.

La main d'Antoine n'a pas cessé de serrer mon pied. C'est délicieux et le reste n'existe pas.

Si la lune se mettait à chanter, si du jardin montaient des voix de flûte, des violons mystérieux... Si Jean, diable blanc, couvert de lune blanche passait dans le ciel en battant des ailes...

Antoine dit:

— J'ai bien envie de m'étendre entre vous. Cette histoire m'a rompu.

— Viens, dit Gene en lui faisant de la place.

Il s'allonge. Sa sueur d'homme mêlée à un reste de lavande. Son épaule touche la mienne. Je ferme les yeux et je sommeille. Lentement, à travers le souffle frais de l'air, les paroles que Gene et Antoine échangent, leur présence me pénètrent toutes chargées d'enluminures. Le mot sang revient parmi les autres mots et colore de sa pourpre unique une perle acide qui roule en moi comme une brûlure.

J'ai beau m'évader, tricher, jouer avec les rayons de lune sur les cheveux d'Antoine, le rouge domine.

C'est la souffrance d'un jeune soldat que personne ne soigne.

Antoine dit:

— Il faudrait...

Mais il reste là, couché entre nous.

La perle le brûle aussi, sans doute. Il voudrait que l'une de nous lui apporte la solution dans un calice qu'il boirait d'un seul trait.

— Vous ne pouvez rien faire! affirme Gene et la fin de sa phrase est indistincte.

Seule la chaleur de cette épaule d'homme contre la mienne, et qui gagne ensuite tout mon corps, est bonne, en dépit du reste.

J'aime la chaleur humaine. Plus que tout. Car c'est la mienne aussi, en partage.

— Tu dors? demande Gene en se soulevant.

Elle tend le bras par-dessus Antoine et me touche.

— Dans cette lumière, tu es belle comme un diamant.

— C'est vrai, fait Antoine, Gene ressemble à Iseult.

— Iseult était blonde. Je ne lui ressemble pas du tout.

— Alors c'est Laure qui sera Iseult, dit-il gentiment.

— Vous avez bien travaillé aujourd'hui?

— Vous avez bien travaillé aujourd'hui ?

— La partie historique est presque terminée. Je rédigerai...

— Raconte à Laure l'anecdote de Maria !

— Pas maintenant, je n'ai aucune envie de rire. Je sors d'une dispute effroyable avec Paul.

— Je m'en doute, dit Gene avec calme. Moi je donne raison à Paul.

— Je suis un humaniste et pas un boucher ! coupe Antoine.

— Et demain tu fuiras dans tes travaux !

— Tais-toi ! Mes travaux, je les aime. Le reste, je le fais par devoir. Pour moi, la vraie vie, c'est Tristan. Et se tournant vers moi :

— Laure, imaginez que cette nuit est toute semblable à celles du VIIIe siècle breton. Les Romains se sont retirés. Les villes qu'ils avaient construites, des villes entières vides... En ruine pendant des siècles.

— Vides ?

— Les Celtes n'ont jamais osé les occuper. Superstition. Des rues désertes, des temples écroulés, des cimetières... La lune seule visitait chaque nuit ces lieux blanchis de silence.

— La lune...

— Comme à présent. Coupés du monde. Eux, là-bas, et nous, ici, et entre eux et nous, un abîme.

— Antoine, tu m'effraies, dit Gene. C'est exprès ?

— Les actes suivent l'homme et creusent des sillons qu'il est obligé d'emprunter ensuite, de force... Tristan n'agit pas librement.

— C'est vrai ? demande Gene impressionnée.

— Tu liras mon livre, fait Antoine sur un ton sec.

Ils se ressemblent comme jumeaux. Ils s'aiment bien, puis en une seconde ils s'irritent et se déchirent. Les plus beaux fruits, ils les pressent et les vident d'un seul coup.

Secs, les fruits du caprice. Jamais rien ne trouve le temps

59

de mûrir, de s'épanouir.

Le charme d'Antoine!...

J'aimerais l'aimer, pourtant. Comme j'ai toujours espéré aimer Gene. Et parfois je l'aimais beaucoup.

Puis en un instant, plus rien.

Ils parlent à nouveau du problème. je refuse d'entendre.

Mes vacances à ce prix. Mes vacances entières, les premières vraies peut-être, de ma vie. Ou alors partir demain.

— Jean s'est conduit comme un idiot, dit Gene, pourquoi a-t-il tiré?

— En fait il n'a pas tiré...

Il a tiré... Il n'a pas tiré!... Des mots, au pluriel ou au singulier, positifs ou négatifs!... Mais aussi vite passés qu'un orage d'été.

— Jean a tiré, mais on n'est pas sûr que...

La suite se perd dans le marronnier touffu. Si j'aimais Antoine, ce serait doux. Parfois. Mais parfois ce serait terrible.

— Demande à Laure, alors!

Un silence total retombe plus blanc que le blanc.

— Tu as entendu, Laure?... Ou bien tu dors?

— Qui est Jean?

— Le jardinier, on te l'a dit, non?

— En ce moment, il est là. Il surveille le garçon.

Antoine a parlé très bas. Derrière lui, la branche de marronnier fait signe. Sa grande main bouge, montre la lune ou quelque chose au-delà du chemin.

— J'y vais, Antoine se lève.

— Reviens vite, en tout cas, dit Gene en sautant du lit. Ne nous laisse pas seules dans la maison.

Ils m'ont oubliée. Ils sortiront comme si je n'existais pas.

Je demande:

— Et l'aspirine?

— Ah! Non! s'écrie Gene, il ne faut pas faire de lumière. D'ailleurs il n'y a pas d'aspirine, n'est-ce pas Antoine?

Après leur départ, je ferme les paupières.

Mes tempes battent comme un tic-tac de montre.

Mon père gémit. Les douleurs durent depuis des semaines, par crises de plus en plus rapprochées. Mais depuis quelques heures, il ne cesse d'avoir mal, malgré les piqûres.

Il est si amaigri que je songe: ce n'est plus mon père. Peut-être son âme l'a-t-elle déjà quitté?

Est-ce l'agonie, cette fièvre froide? Le lit tremble, aussi agité que l'homme qui meurt sur lui. Les draps sont en nage, l'oreiller transpire et l'auréole de sueur grandit sous cette tête en délire.

Chasser l'image! En finir avec ce souvenir. Avec tous les souvenirs. Ici: Vacances. Vacances jusqu'au vide. Mais l'obsession revient. Rien ne me sera épargné et je crois revivre les souffrances de mon père, jusqu'à son dernier souffle.

Alors, au bout de moi-même, et aussi noire que l'ombre de cette lune, je m'endors dans la solitude d'une ville abandonnée.

Quelle heure est-il quand je m'éveille? Tard déjà, car le soleil est haut. Il fait trop chaud sous la couverture de laine que je rejette à mes pieds.

Du jardin, me parviennent des bruits de gravier, et un murmure léger comme l'air.

Je saute et cours voir. Ah! Quel joli spectacle!

Le marronnier fait une grande tache verte. Tout le reste est baigné dans une lumière merveilleuse. Une petite fille rousse et rose sautille en chantant à mi-voix.

Elle quitte l'ombre du feuillage et ses cheveux flamboient de soleil. Elle se baisse pour ramasser des cailloux, revient en murmurant et les dispose religieusement à terre.

Ensuite, sur un seul pied, elle clopine autour de l'arbre.

— Flon, flon, flon.

Tipaton...

— Bonjour!

Elle répond sans sourire:

— Bonjour! C'est toi qui es ici?

— Pourquoi sautes-tu à cloche-pied?

— A cause du marronnier... Comment tu t'appelles?

— Laure.

— Drôle de nom. Christine c'est plus joli. Ma poupée s'appelle Christine. Quand je serai grande, j'aurai des cheveux comme les tiens. Longs et tout.

— Et toi? Ton nom?

— Mireille. A cause de la chanteuse. Maman a tous ses disques. Tu la connais?

— Bien sûr! Tout le monde la connaît.

— Papa dit qu'elle est idiote.

— C'est Jean, ton papa?

— Non. Jean c'est le jardinier. Papa est aux champs.

— Et toi? Tu ne vas pas à l'école?

— A l'école? Mireille détourne la tête et se désintéresse de moi. Elle aligne les graviers soigneusement.

Un chien aboie au loin, comme dans les campagnes, interminablement.

Mireille se relève et me regarde.

— C'est les grandes vacances, dit-elle, pas pour toi?

— Si. Pour moi aussi. Enfin...

— Ils dorment encore. Maman a dit: pas la peine de faire le café, ils dorment. Mais tu veux que je prévienne maman?

— J'attendrai.

— Tu veux que je te montre Christine?... Tu es ici pour longtemps?

— Quelques jours.

— Papa ne vient plus à Froidmont.

Le chien aboie toujours et l'odeur du jardin est là, comme hier. Mon paradis tremble de joie.

— Mlle Gene a refusé les services de papa parce qu'il fait du marché noir. Mais il est épatant, papa. Il est saisonnier. Tu comprends?

— Oui.

— Maman est dans la buanderie. Elle lessive.

Mireille l'indique d'un poing rempli de cailloux.

— Avant ma naissance, elle travaillait déjà ici. Alors elle continue. Mais ça l'a froissée aussi. Tu comprends.

— Oui.

Mireille s'élance, traverse le coin ensoleillé, ses cheveux s'enflamment un instant.

Le bonheur m'étrangle la gorge. Mireille revient en

sautillant, les mains pleines.

— Tipaton, Tipaton… Elle s'arrête et demande :

— Tu ne te coiffes pas ?

— Si.

Je me passe les doigts dans les cheveux.

— Moi je coiffe Christine plusieurs fois par jour. Ça t'amuse de te coiffer ?

Le silence de l'été n'est qu'apparent, comme hier. D'une ferme au loin, des buissons, du bois arrivent mille bruits de vacances.

— Tu réponds ou quoi ?

— Je vais faire ma toilette, dis-je en me redressant.

L'appui de la fenêtre a imprimé des marques dans la chair de mes bras que je masse doucement.

— Comment te coiffes-tu ?

— En chignon.

— Pourquoi ?

— C'est commode.

— Moi, si j'étais toi, je me ferais des nattes.

Je bâille.

— Tu as raison, dis-je, mais à mon âge, ce n'est plus possible.

Antoine sort de la maison du jardinier. Il est pâle dans sa barbe drue. Sa chemise est ouverte jusqu'à mi-torse.

— Bonjour, monsieur Antoine, dit Mireille en faisant la révérence.

Il m'a vue et son visage s'éclaire. En moi aussi, cela devient très lumineux.

— Je monte un instant ?

Je souris. Lorsqu'Antoine est passé, Mireille est toujours là, la tête levée vers moi.

— Tu vas à l'école des sœurs ?

— Comment tu sais ?

— Moi j'étais chez les Trinitaires.

— Je suis pensionnaire à Sainte-Marguerite, dit Mireille en grimaçant. Tu aimes les sœurs, toi ? Moi pas. Elles ont

64

toujours raison, même si ce n'est pas juste !

— C'est ainsi avec les grandes personnes.

— Dis-moi ton nom... J'ai oublié.

Je me retourne, car j'ai entendu la porte de la chambre s'ouvrir. Antoine est là. Quelle défaite dans ses yeux !

Que pense-t-il ? Pourquoi reste-t-il là, comme fasciné par une peur intérieure ?

Je fais quelques pas vers lui, mais, bien que ma chemise de nuit descende jusqu'aux chevilles, je me sens trop nue dessous, vulnérable. Le regard d'Antoine est pourtant si loin de son expression dans le bois, hier. Que fixe-t-il à travers moi ?

Enfin il me tend les deux mains, puis m'attire contre lui.

Qu'un homme affaibli est bon à l'amour !

Il a besoin de moi. Il dévore sur ma bouche, ma santé et ma jeunesse. Je souffle entre ses lèvres un peu de la paix qui m'habite. Il goûte à ce bonheur dont je suis comblée depuis la veille.

C'est moi qui donne et il a besoin de moi. Ses mains caressent la cotonnade légère de ma chemise. Il n'a pas quitté ses vêtements de vingt-quatre heures. La lavande évaporée fait place à l'aigreur moite de l'anxiété.

— Laure ! Ah ! Laure !

Puis s'écartant de moi :

— Maintenant il a de la fièvre. Beaucoup. Que faire ?

Il s'assied sur le lit et se prend la tête. Ses cheveux n'ont plus de vraie couleur. Ils étaient noirs, sans doute, ou bruns. A présent, il y en a tant de blancs. Ils sont drus mais émaillés de vieillesse.

Un moment je vois du sang dans le gris pâle de ses yeux. Sa cicatrice gauche est profonde, ce matin et les joues non rasées bleuissent. Cette nuit l'a transfiguré.

Je lui souris en le poussant doucement. Je le force à s'étendre sur le lit où je m'accroupis près de lui.

Le chien aboie toujours, et le premier ramier roucoule

son désir.

— Il a gémi, mais il n'a pas prononcé un mot. Nous sommes restés toute la nuit dans la chambre à guetter...

Il fait un mouvement pour se lever. Je le retiens.

— Laure, je voudrais te dire...

— Non.

— Laure !

— Chut ! Embrasse-moi. Tes joues râpeuses sont tendres. Tu rentres d'un long voyage. Tu es las. Tu as besoin de moi.

— Oui ! J'ai besoin de toi !

— Répète.

— J'ai besoin de toi. Ah !

Il soupire et tente de se dégager.

— Ne bouge pas. Nous avons le temps, mille et mille fois le temps... Que vois-tu sous tes paupières ?

— Laure !

— Que vois-tu ?

Je contemple Antoine. Couché, il a l'air très jeune et très malheureux. Tristan vaincu. Son regard s'est-il troublé ? A peine.

Déjà l'image pourpre resurgit dans ses prunelles.

Non ! Non à la laideur, non à la douleur ! Non !

Je souris pour forcer le bonheur, et j'arrive à le retrouver en moi, presque intact.

— J'aime ta cicatrice, Antoine.

Mon doigt la touche.

Des ombres ternissent son visage.

— Il saigne, je n'arrive pas à l'oublier, dit-il, que faire ?... Je suis un monstre de le laisser comme ça et je ne peux pas accepter que Jean l'achève. Laure ! Tu me comprends, dis ! Dis-moi !

Je le serre contre moi. Qu'il se taise ! Qu'il m'aime ! Mais son désir d'homme est trahi par les larmes.

Ses traits se brouillent.

— Je t'aime ce matin, dis-je. Hier tu ressemblais à un

66

châtelain en habit d'or. Tu ployais de noblesse et de victoire. Je t'aimais aussi, mais ce matin c'est plus doux.

— Laure, réponds-moi! Je t'en supplie. Il a perdu tant de sang. Et ce matin, il tremble de fièvre...

Ses mains ne quittent pourtant pas la caresse de mon dos. Elles montent et descendent et ses lèvres sont si proches des miennes que je sens ses mots me frôler.

Qu'il s'absente, fût-ce quelques instants, de tout ce qui n'est pas moi! Qu'il devienne vraiment Tristan, après un rude combat.

Le fil de la volupté se tendra à nouveau ardemment. Moi, je suis prête.

Nos deux vies, enlacées un instant dans une chaleur proche du vertige, se séparent à nouveau. Il est absent, mais de moi.

Je me lève et me détourne. C'est fini, la nécessité qui m'entraînait vers lui s'est évanouie.

— Tipaton - Tipaton...

Mireille sautille sur le gravier.

— Laure!

Qu'il se débrouille avec son angoisse! Je ne l'aime pas. Rien ne nous unit.

— Laure! Ne m'abandonne pas!

Sa voix me subjugue, me retient mieux que ses mains.

Ce n'est pas moi que cherche son regard, mais ma force, mon appui, une réponse à ce qui le tourmente.

Notre silence est un long dialogue. Il tente de me convaincre, de me fléchir.

Que veut-il en somme, sinon une approbation, une confirmation.

— Jean exige qu'il meure. Et c'est la seule solution, Laure, c'est la seule solution, n'est-ce pas?

Est-ce un pli veule qui abaisse les coins de sa bouche ou le chagrin?

Pourquoi suis-je touchée à ce point? Sa lèvre qui tremble me fascine. Nous retournons l'un à l'autre d'un même mouvement. Son étreinte me trouble et m'amollit. Nous sommes debout au milieu de la chambre qui chavire.

— Antoine !

Il a enfoui son visage dans mon épaule et mon corps est si prisonnier de ses bras que je respire à petits coups.

— Je ne sais pourquoi ton arrivée ici m'a bouleversé. Ta présence ajoutée à cette histoire subitement tombée dans mon existence...

Mais la suite de sa phrase est étouffée. Il m'embrasse le cou et je ferme les yeux pour être mieux au centre de moi-même.

— ... comme si je commençais à t'aimer.

— Non, Antoine. Pas m'aimer. Moi, non plus. J'aime mal d'ailleurs. Nous n'y gagnerions rien.

— As-tu envie de m'aimer ? demande-t-il en s'écartant un peu pour me regarder.

— Je ne sais pas, dis-je. Je crois que oui. J'ai toujours envie d'aimer au début, ensuite...

— Ensuite ?

Mon geste le contrarie. Sa cicatrice, le pli de la bouche, ses paupières à demi fermées obscurcissent son attente.

— Si tu as envie, il faut. Il faut m'aimer, si tu en as envie, insiste-t-il avec une pointe d'autorité qui me projette tout de suite vers Gene et ses exigences terribles.

— Il faut que ça monte ensemble en nous, fais-je à mi-voix et avec de moins en moins de conviction. Ton amour doit éveiller le mien et le mien faire surgir le tien. C'est un dialogue, non ?

Il soupire.

— Je suis à bout de fatigue, un bain me remettra sur mes pattes. Nous avons surveillé la maison toute la nuit. Je craignais une nouvelle fouille. Mais ils semblent croire que l'homme s'est sauvé ou a été enlevé ailleurs. Ils ne sont pas revenus.

Il a parlé bas sans cesser de me tenir contre lui.

Sa main qui touchait ma hanche, remonte vers ma poitrine et de la paume, doucement, il caresse mes seins tendus sous ma chemise.

Étrange Antoine que je ne songe pas une minute à repousser.

C'est comme si je recevais l'été, les vacances, les parfums du jardin. On ne discute pas l'été. Il est là. Son bonheur est indissociable de Froidmont, de la cretonne fleurie de ma chambre.

J'accueille Antoine, sa brève et légère caresse.

Ma réponse à sa bouche, c'est ma bouche, à son sourire, c'est ma joie.

Et lorsqu'il me quitte quelques secondes plus tard, peut-être par caprice, et aussi soudainement que Gene l'eût fait, il me semble que je retrouve Antoine, après des années d'absence, tout simplement.

De même Mireille et le gravier crissant évoquent une vie antérieure où cette comptine chantait un paradis tout proche de celui-ci, et aussi ineffable.

Gene m'attend sur la terrasse pour le petit déjeuner. Son visage est aussi lumineux qu'un matin d'été. Elle a traversé la nuit, comme un oiseau l'air frais, et sa robe est moins rose que ses joues fruitées.

Le pain est là, et les fraises dans leur neige.

— Mangeons, dit Gene, Antoine vient à peine de rentrer.

Je détourne les yeux sur mon secret encore chaud.

Peut-être ce repas est-il meilleur qu'hier. Car je connais déjà chaque délice. Les bouchées de pain, ma bouche les attend et les reçoit enrobées de charme sorcier.

Ai-je jamais pris un petit déjeuner servi sur une table de jardin?

Je suis heureuse, lentement, tremblante encore des caresses d'Antoine. Je cueille en pensée les œillets qui poussent en bordure de la pelouse et j'en couvre son corps, pour son sang qui a battu au même rythme que le mien, pour nos sueurs mêlées.

Pour cette larme, aussi, échappée à son mâle regard gris.

Une larme surgie de son anxiété nocturne et offerte à mon amour.

Je l'aime, bref instant dans le silence de l'été, magie fugace, regard de vacances. Ma joie est insensée, sourde et volée à tant de misères!

— ... trois heures, je vais jouer au tennis chez Claire.

Depuis un moment déjà, Gene me parle. Je lui souris pour n'avoir pas à répondre et j'écoute en moi chanter tout ce qui est vert et qui m'entoure. Fête de verts. Rien jamais ne m'a paru plus vert, plus profond que ce velours, pelouse anglaise ou mousse du Japon.

— Et de plus, je n'aime pas que cette gosse rôde toute la journée ici. Elle est tellement curieuse. Maintenant à plus forte raison.

— Mireille?

— Tu la connais?

— Elle jouait sous ma fenêtre. Une jolie enfant!

— Rousse comme une vraie brabançonne! Ses parents étaient gardes ici avant la guerre. Mais le mari fait un infâme trafic de beurre. La maison du jardinier n'était plus assez belle pour eux. Ils sont partis habiter au village. Ces gens-là deviennent plus difficiles que nous!

— Il travaille aux champs?

— Mireille est bavarde. Elle raconte tout à tout le monde. J'aimerais que tu ne lui parles plus. Antoine aussi s'intéresse trop à elle. Il lui donne des sous, c'est insupportable. Ça la gâte!

— Antoine aime les enfants?

— Il est agaçant. Elle vient dans son bureau pendant qu'il écrit. Il lui raconte... Ah!... C'est moi qui dois la chasser. En fait, il trouve une excuse pour ne rien faire pendant une heure. Il est affreusement paresseux. A la fois travailleur et paresseux, tu vois ce que je veux dire?

Antoine apparaît. Pantalon de velours. Chemise fraîche. Visage tout neuf, à peine voilé de fatigue.

— Bonjour! lance-t-il sans nous regarder et il s'assied dans un fauteuil en osier. L'odeur de la lavande, la clarté de ses yeux, ce faux sourire à gauche, trop lointain, font revivre en moi le séduisant personnage que j'ai vu hier, à la même place, glacé derrière sa politesse.

Gene ne mange plus. Le menton dans les mains, elle

tend un cou fragile vers quels rêves irréels.

Je ne me lasserai jamais de la regarder. Elle étincelle sous le soleil, et se hâle sitôt que le feuillage sous le vent, ombre son visage.

— Les nouvelles de ce matin ne signalent rien de ce côté, dit Antoine. Je me suis posé une question...

Il s'adresse à Gene, comme si je n'étais pas présente.

Mais suis-je présente ?

Je revois son image, dans la chambre : la défaite qui barrait sa figure d'une meurtrissure, je l'avais ressentie avec lui, toute proche.

Un bain, le rasoir ont suffi à rendre la victoire à cet homme, et la beauté.

Plus rien en lui ne me touche soudain, sauf le souvenir. Ils ont bien raison de se parler par-dessus moi comme si je n'étais qu'un peu de pain sur la table.

Puisque je n'entends pas ! Puisque je suis sourde à leur problème, sourde à leurs voix. Pelouse verte, tu ne changeras pas de robe à cause d'eux.

Quand mon père souffrait comme un chien qu'on dissèque, la bouche remplie de plâtre et les veines charriant une bile brûlante et noire qui le faisait vomir à crever, j'ai eu mal de son mal, et si fort, qu'ensuite, sa mort est venue sans que je verse une larme.

Simplement mon corps brûlait de bile aussi et j'en crachais à remplir, à remplir...

Mais eux qui échangent des propos parfumés de lavande, ont-ils vomi du sang ?

Ils classent leurs soucis comme du papier ministre.

Pourtant Gene craint quelque chose, car elle a pâli un instant et Antoine lui saisit la main et la porte à ses lèvres. Il console avec des gestes du Moyen Age. Je souris.

Mon sourire n'avait-il pas gardé tout le silence d'une ironie intérieure ?

72

Ils me regardent tous deux et leur reproche muet ne me touche pas plus que leur parfum.

— Ça t'amuse, me lance Gene.

Je referme la porte de mon visage, mais derrière une gravité de pure forme, mes vacances continuent à cheminer gaiement.

— Laure n'a pas compris, certainement, dit Antoine doucement.

— Elle ne se rend pas compte. Elle était comme ça à l'école. Mme Froment répétait souvent: Laure a les méninges en toile cirée.

J'ai rougi. Le rire de Gene m'écrase d'un seul assaut.

Ma solitude est si totale qu'elle ressemble à un soudain hiver.

— Après tout, pourquoi pas un déserteur! dit Antoine et une espèce d'espoir stérile polit la pierre grise de ses yeux. Il ne m'a jamais paru aussi beau, aussi lointain.

— Tipaton, Tipaton...

Mireille débouche de l'allée et nous fixe. Une capucine dans le soleil.

— Ah! non! s'écrie Gene.

— Laisse-la, fait Antoine en changeant son fauteuil de place et à Mireille:

— Tu viens?

— Elle le fait exprès! grince Gene en se levant.

Mireille s'approche, s'arrête à quelques mètres, un doigt au coin de la bouche. Son sourire disparaît. Elle regarde Gene, fait une courte révérence et se sauve.

— Tu vois! dit Antoine, tu l'as fait fuir!

— Tant mieux!

— C'est stupide. La petite est intelligente.

— Je ne supporte pas les rousses.

— C'est stupide! répète Antoine en émiettant du pain nerveusement. Son visage est crispé par la contrariété, une contrariété hors de proportion. Puis ses traits se figent. Une image le cloue au pilori de l'angoisse.

Il ravale sa salive, une question l'obsède qui ne peut franchir ses lèvres. Ah! S'il pouvait me regarder, il lirait mes sentiments. Il se croit seul et je suis là, brusquement plus proche de lui que ce matin dans ses bras.

Mireille, cachée par des rosiers, chante. Furtivement, son visage inquiet s'immobilise entre deux buissons, nous fixe, puis se détourne.

Gene, debout, surveille ce jeu, les nerfs acérés.

— Pourquoi la chasses-tu? demande Antoine avec une patience que je ne lui imaginais pas. Il reste aveugle et solitaire, mais son regard est chaud de chagrin.

— Ne reprenons pas cette vieille discussion! fait Gene et elle rentre par la porte-fenêtre du salon.

Sa grâce n'a rien d'égal. Même raidie de colère, lorsqu'elle s'avance, on a envie de la peindre, de la filmer, de lui crier de revenir et de refaire ses gestes si parfaits.

— Tu m'accompagnes, me lance-t-elle de l'ombre de la maison.

— Je viens, dis-je sans bouger. Antoine se penche vers moi et murmure:

— Que ferais-tu à ma place?

Son expression est avide et son œil gauche qui sourit tout seul avive ma tendresse.

— Il a de la fièvre, sa plaie est mauvaise...

— Il faut le faire soigner.

Je suis tellement sûre. Mon ton est net.

— Jean affirme qu'ils prendront des otages...

Que dira-t-il encore pour déchirer davantage? Je veux qu'otages soit un mot sans signification. Un mot comme celtes ou gonfanons. Antoine joue à Tristan. Son beau visage est presque pathétique, mais c'est un masque un peu sot.

Comme si la vraie souffrance existait dans ce château enchanté!

— Laure!

— Laure! appelle Gene de l'intérieur de la maison.

— N'y va pas, Laure. Viens. Allons à deux le voir. Aide-moi ! Tu diras... Tu le soigneras. Non ?

Je me suis levée.

C'est donc vrai ! Il m'oblige à y croire.

— Viens, Laure ! Il me tend la main.

— Je ne suis pas médecin !

— Mon petit, fait Antoine, ne me regarde pas ainsi ! S'il vit encore, c'est grâce à moi. Je n'ai pas voulu... Qu'on le soigne ! Toi ! Aide-nous !

— C'est un médecin que vous devez appeler.

— Je n'en connais qu'un à qui on puisse confier ça. Il habite en ville et de plus il est surveillé. S'il vient ici, c'est fichu ! Logiquement, nous devrions le tuer et l'enterrer dans le bois.

— Non !

— Ils font pire avec nous, tu le sais !

— Je sais, je sais...

Il est pâle et les rayons de soleil blanchissent encore ses joues.

Je le quitte. Je marche à grands pas vers les rosiers, sans me retourner. Comme c'est aussi le chemin de la maisonnette, Antoine me suit. Il croit que je lui obéis, mais je m'élance dans la grande allée, je cours. Son appel s'éloigne. Je vais si vite que mes pieds touchent à peine le gravier. Je sors du parc. Passé le portique blanchi, je me retrouve dans la campagne, sur un chemin de sable tout chaud de mystère ensoleillé, et dans mon dos, le cri étouffé du désenchantement.

Ici, c'est la magie des avoines douces et de l'oubli.

Je longe d'abord la propriété, leur propriété dont une grille rouillée, bardée de lances dressées vers le ciel, proclame leur droit au charme sans partage.

Le sentier que je suis est difficile, étroit, tout mangé d'avarice. Le paysan a labouré jusqu'aux limites imposées par le soc, et les sillons de blé viennent frôler la grille, leurs épis se mêlant aux ronces échappées du parc. Je plonge entre deux champs, avoines à gauche, seigle à droite, vers un horizon inconnu.

Le village est derrière moi, au-delà du bois. Plus haut, le ronron régulier d'une machine qui fauche et lie les gerbes, s'éloigne et se rapproche.

Et de partout, les chants de grillons heureux.

Enfant, j'ai connu quelquefois la volupté irrésistible des blés plus hauts que moi, l'oppression exquise d'être cachée à tous, presque à moi-même. L'odeur de tant de paille mûre, du pain vivant m'immerge dans les délices passées.

Ma robe seule rappelle misérablement, dans ce lieu fait pour la lumière, la noire fatigue de la guerre...

Ici, elle me colle à la peau et la chaleur paralyse mes pensées jusqu'à l'extase. Je me sens perdue, invisible, mais pas seule.

Pas seule comme en ville, dans la foule. J'avance au milieu du frou-frou des épis qui respirent. Je marche entourée d'or, parée de soleil et brassant la bonté infinie

76

du règne végétal.

Et comble de joie, j'ai le choix entre les avoines aux couleurs tendres et le seigle mâle. Je pénètre dans le second, accueillie par les baisers des épis drus.

Je me couche dans la fraîcheur crissante au cœur même du silence. C'est le grand domaine des insectes et je deviens fourmi, scarabée ou mieux, diptère ailé, léger à gagner le ciel.

L'enivrement est total. A sentir la terre, ma raison s'envole, et toutes les racines que couvre mon corps ont bu ce qui me restait de sève.

Mon évasion dépasse l'impossible et le temps. Vaincue, je laisse s'écouler l'heure.

Puis, étourdie, je me relève et je gravis à nouveau la colline, lentement, écrasée de soleil et de chaleur. Il est plus de midi puisque sous moi, l'ombre à peine fait cercle.

Le tracteur n'est pas loin, mais le casse-croûte l'arrête et je vois les bouquets de paille qui reposent à distances égales, comme des morts sur un champ de bataille blond de quiétude.

Je me retourne pour contempler la vallée, leur bois, le coin de la maison à moitié enfouie dans les feuillages et le potager qui fait une large trouée. Plus loin, un autre parc, mitoyen et un tennis rouge qui se repose au soleil.

Devant une maison aussi grande que l'autre, des personnages en blanc autour d'une nappe blanche, ou bien ne sont-ce que des rosiers en fleurs?

C'est plus qu'un congé volé à ma vie, plus ardent qu'un voyage fabuleux, plus oppressant qu'un été d'enfance.

Aujourd'hui, je plonge dans ma mémoire où la guerre fait une tache. Tout ce qui régnait sur elle, la mort, la faim, le bruit des bottes dans les rues glacées, les boutiques vides, la peur et le froid, et surtout cette attente interminable de la fin, de tout cela, si peu de souvenirs précis!

Comme si, encoconnée, mon âme s'était mise à l'abri.

Mais de Froidmont, quelles images! Quelle trouée bleue dans l'épaisse brume!

Combien de temps suis-je restée là, sur la colline à contempler ce vert bonheur, îlot au creux de la vallée, où la guerre n'a pas pénétré?

Sans doute est-ce mon rêve qui recrée une paix bienheureuse trop pareille au Paradis Perdu?

Non pourtant. D'autres le vivaient ce paradis-là, puisque le soir même j'entendais Claire s'écrier:

— Eh bien! on s'en souviendra de cette guerre! Deux ans avec les mêmes balles de tennis!

A présent, je ne suis encore que sur le versant sud et le tracteur s'est remis en marche.

La notion de l'heure, le travail me l'avait apprise avec une exactitude-minute. La ponctualité est l'un de mes agaçants défauts.

Ici pourtant, perdue cette précision, avec bien d'autres notions d'ailleurs, plus essentielles.

Un immense oubli bleu me perd à moi-même. Je ne sais plus rien des saisons. Le déjeuner, la cloche, de chez Gene sans doute, me l'a depuis longtemps annoncé sans provoquer en moi le moindre réflexe. La lente descente du soleil a commencé. En face de mon regard immobile, tout m'est étranger et familier à la fois.

Le parterre de roses blanches a bougé, certaines se sont dirigées vers la maison de Claire et d'autres ont disparu dans les arbres.

La faucheuse-lieuse traflonne dans mon dos, se rapproche, puis me distance.

J'ai chassé souvent des mouches. Elles sont revenues obstinément, plus que ma conviction à les renvoyer. C'est ma robe noire semblable à la leur, pauvre toile surchauffée et défraîchie, moite de sueur qui les attire. Qu'elles viennent donc et s'installent, là où elles sont chez elles.

Petites mouches légères des champs où est votre cheval

ancestral à la robe frissonnante de vos attaques? Le tracteur crachant l'essence vous a bien déçues. Venez! Mon silence vous convient.

C'est la paix pour moi comme pour elles. Et si par brefs instants une image de fièvre me traverse, je sais la repousser dans la mare où elle se noie aussitôt.

Les caresses de Tristan me reviennent et elles, je les laisse me parcourir le corps. Ma salive abonde, répond à ces deux faims, et les mêle dans ma bouche doublement avide.

Je retourne sans cesse aux baisers d'Antoine qui m'apportaient avec l'odeur du tabac, un goût de souffrance et d'implacable.

Mon père, si faible face à l'alcool qui le tuait lentement, m'apparaissait parfois irréductible dans ses desseins.

Ce «non» qu'il prononça un soir devant la femme en larmes, suppliante, chienne devant notre porte, sa maîtresse depuis plus de dix ans! Il l'avait aimée pourtant, jusqu'à ma jalousie, ma rage même. La chambre, celle où il creva plus tard dans les tortures de la cirrhose, a tenu au chaud, pendant dix années, leur passion, leur tendresse, théâtre profond.

Ils s'y sont battus, déchirés.

Puis, mon père brusquement a dit «non», sans donner de raison à cette femme qui n'attendait plus que le mariage pour consacrer leur attachement.

Mon malaise dure encore.

Mon malaise, c'est Antoine qui l'a ravivé tout à l'heure en refusant d'appeler un médecin.

Antoine, irréductible comme mon père.

Leur raison fait la loi. Est-ce force ou faiblesse?

Antoine m'est beau du combat même, en lui, et ses

traits qui hésitent au bord d'être veules ou héros, labourent doucement mon ventre.

Explique-t-on avec des mots la fascination, le charme?

Et qu'ils soient troublés d'anneaux glauques n'y change rien.

Pourtant c'est l'autre faim qui m'a dressée et conduite sans broncher vers la maison où le pain presque blanc se substitue à toutes les images.

La grille ouverte sur l'allée, la grande pelouse de velours vert et la maison, beau trésor endormi de bonheur...

Tout est là. Mes pas sur le gravier résonnent dans ma tête vide, comme vide est mon estomac.

Il est quatre heures, ou cinq?

Soudain ma faim se ferme. L'allée bifurque et la maison de Jean me fait face, fenêtres closes, aussi muette que la grande.

Mais mon être entier a traversé le silence. En un instant, sans que j'aie jamais su pourquoi, *cela* devenait plus irrésistiblement douloureux, plus fort que ma volonté, plus important que le bonheur.

J'ai couru, j'ai poussé la porte, gravi l'escalier de bois d'une seule haleine.

Dans la chambre obscure, gisait mon père agonisant.

C'est après la découverte du soldat blessé que les êtres et les choses se révélèrent à moi peu à peu.

Lorsqu'une heure plus tard, je sortis de la maisonnette, Maria traversait l'allée, un panier à linge sous le bras.

Depuis la veille, je l'avais entrevue trois ou quatre fois, mais elle était restée une ombre immatérielle et sans âme.

Elle passa, le visage impassible. Ses traits usés me frappèrent. Sous ses pas lourds, les graviers paraissaient s'enfoncer en de longs crissements las.

Je la suivis vers la cuisine et m'arrêtai devant la porte.

Elle alla au fourneau où elle souleva le couvercle d'une marmite. Elle remua une longue cuiller en bois qu'elle lécha ensuite en faisant claquer sa langue. Un fumet exquis me parvint qui aviva ma faim.

— Vous désirez quelque chose? demanda-t-elle sèchement. Elle savait donc que j'étais là. J'entrai et je m'assis devant la table.

— A quelle heure dîne-t-on? demandai-je.

Maria prit une chemise dans le panier et l'étala sur la table.

Elle puisait de l'eau dans un bol et aspergeait d'un geste de semeur, une chemise kaki où les gouttes faisaient des taches sombres, comme des marques de balles.

J'étais très calme. Le long moment passé dans la maisonnette m'avait ôté un poids douloureux.

Comme c'est simple d'agir!

Il ne pouvait comprendre mes paroles mais leur douceur l'apaisait du moins, plus que mes soins.

La chambre était sombre et une odeur suffocante prenait à la gorge.

J'ouvris la fenêtre du jardin. L'air tout chargé de pollen entra à flots avec la lumière.

Ce changement le fit gémir. Plus d'âge, plus d'expression dans un visage aveuglé, torturé par son mal.

Ma présence, il la remarqua d'abord à peine. Je mis de l'eau à bouillir. Dans une commode, je trouvai du linge et des draps propres.

Mon va-et-vient attira son regard, et lorsque je m'approchais de lui, ses yeux reprenaient un peu de vie.

Il articula quelques mots et je haussai les épaules en signe d'ignorance. Sa langue et la mienne, c'étaient pour nous, deux mondes impénétrables.

Alors il se remit à gémir.

Qu'est-ce qui le blessait davantage, du genou que je découvris avec horreur, carnage sanglant, ou de ne pouvoir se faire entendre?

Il se laissa laver et panser docilement. J'ôtai cette tunique en laine râpeuse de la couleur vert-de-gris qui nous glaçait les veines lorsque nous en rencontrions dans les rues. Celle-ci comme un buvard s'était imprégnée de la sueur et de la souffrance d'un homme. L'objet le plus misérable, le plus pitoyable que j'eusse jamais vu.

On avait coupé la jambe du pantalon. Je fis ce que je pus avec les serviettes et l'eau stérile. Mais à quoi bon? Un travail de pure forme. La blessure suintait et le moindre mouvement lui arrachait des grondements de douleur.

L'important était de lui parler sans cesse.

Parfois, il interrompait mon monologue interminable pour répéter sa phrase avec angoisse. Il prononçait avec de plus en plus de lenteur pour tenter de se faire comprendre.

Il demandait, demandait…

Je changeai les draps en le soutenant. Il m'aida, le visage blanc, à croire qu'il avait perdu tout son sang.

Je me sentais tellement impuissante devant son genou, amas d'os brisés et de chair noire, que je m'affairais d'autant plus à rafraîchir son visage et son corps, à raconter n'importe quoi pour noyer ce pénible silence de fièvre et de sang.

Puis, sa phrase à lui, revenait.

Mon père avait vécu un cauchemar tout semblable et je lisais dans les yeux de cet homme cette même peur de quelque chose de plus terrible que la mort.

Je refermai les volets. Crut-il que j'allais partir? Il fit un effort qui le terrassa. Il retomba en nage sur le lit où déjà une grande auréole s'étendait sur l'oreiller.

Alors je fis pour lui ce que j'avais donné à mon père : je m'agenouillai près du lit et je priai à voix haute.

Depuis mon enfance, j'ai toujours détesté les prières en commun et les messes qui me distrayaient de Dieu. Les mots sacrés, si grands dans la solitude, me devenaient grotesques en public, et sans écho.

Mais ici, comme à l'agonie de mon père, dans cette odeur de désespoir, que pouvais-je offrir de plus parfait?

Maria poursuivait son travail d'une main prompte et sûre qui témoignait pour elle. J'aimais sa rigueur dans le geste, ce métier bien fait. Allait-elle repasser ce soir ?

— Vous préparez votre linge à cette heure ? dis-je, quand le repasserez-vous ?

Elle leva sur moi des yeux étonnés. Je remarquai à quel point ils étaient beaux, maquillés de cils noirs et longs, les sourcils d'un dessin très pur.

— Il est tard, insistai-je en rougissant.

— J'ai juste le temps pour les chemises de monsieur Antoine et il en a besoin.

Comme la cuisine était plongée dans l'ombre, je lui proposai d'ouvrir les volets.

— Ne vous dérangez pas, fit-elle en sortant.

Aussitôt la lumière du jour éclaira crûment tous les objets. Le soleil s'en allait, sans doute, de l'autre côté de la maison, et le ciel prenait à l'est une lueur irréelle légèrement dorée.

Les fers à repasser chauffaient sur la taque noire de la cuisinière. Maria en saisit un avec une menotte et cracha dessus pour en éprouver la température. La salive bouillonna en crépitant.

— Vous n'êtes pas rentrée déjeuner, dit-elle d'une voix plus amère. Ils vous ont attendue jusqu'à deux heures. Mademoiselle a sonné trois fois la cloche. Ils paraissaient inquiets.

— Ils étaient inquiets ? répétai-je et la joie m'éblouit

une seconde.

Dans la maison, quelqu'un venait de se mettre au piano et des notes nous arrivèrent par vagues déferlantes, parfois claires, parfois plus faibles. Ensuite elles se turent. Il y eut un bref silence, puis les notes reprirent. On rejouait le passage.

— Qui est-ce? demandai-je émue.

A Froidmont un rien n'avait-il pas le pouvoir de me toucher?

— Monsieur Antoine, dit Maria et pour la première fois je vis un soupçon de sourire s'allumer dans ses beaux yeux.

Mon sourire à moi s'adressa entièrement à Antoine dont la présence entre nous, venait d'occuper une place énorme.

Le piano arrivait étouffé par des portes et des tapis, mais je reconnus le passage où il accrocha pour la deuxième fois. Il le recommença inlassablement à plusieurs reprises.

Maria avait cessé de travailler et restait, comme moi, suspendue à la musique indocile.

Lorsqu'enfin il traversa la difficulté et poursuivit le morceau, nous soupirâmes d'avoir retenu notre souffle.

Les sons montaient, descendaient, tournaient et s'en allaient par flux d'une douceur indicible.

— C'est joli d'être doué comme ça! s'exclama Maria en se remettant à la besogne.

— Il joue souvent?

— Chaque jour, à cette heure, jusqu'au dîner. Vous ne l'avez pas entendu hier?

— Hier? Je réfléchissais à cette journée impalpable. Ah! non, nous étions en promenade.

Maria frotta énergiquement le fer sur un journal et toute la pièce se remplit aussitôt d'une odeur de papier brûlé.

— Vous aimez ce pays?

Ses yeux m'intimidaient. Ils avaient l'air d'en savoir

tellement long! Je détournai les miens.

— Magnifique! dis-je sottement.

— Mademoiselle vous a montré la vallée du Sart?

— Nous l'avons longée jusqu'à un village... Elle m'a dit qu'au printemps les rives sont couvertes de populages.

Maria sourit avec fierté.

— C'est vrai qu'au printemps c'est tout jaune de populages! Vous auriez dû venir au printemps!

— Je travaille, fis-je à mi-voix, mais le piano soudain couvrit mes paroles.

Maria s'était de nouveau arrêtée pour écouter, le regard perdu.

Au-dessus de sa lèvre supérieure, une moustache salissait la peau sèche, son nez était large; mais tout le haut du visage m'émerveillait.

On est beau par morceau, pensais-je, les yeux, ou l'âme, ou les jambes. Jamais tout à la fois.

— Il joue bien, n'est-ce pas? murmura-t-elle.

— C'est du César Franck, je crois.

Maria me fixa brusquement avec mépris, comme si je venais de dire une incongruité. Je l'avais choquée, car son visage se ferma et elle continua son repassage sans lever la tête.

Je songeai à Antoine. Je me demandais comment il pouvait jouer du piano, tandis qu'à quelques mètres de lui... Mais j'arrivais très bien, moi aussi, à chasser cette image qui dérangeait mon admiration pour Antoine.

— Comment est-il? demandai-je à Maria.

— Monsieur Antoine?

Elle ne cessa de faire glisser le fer sur la chemise, mais je la sentais tendue.

— Monsieur Antoine est un savant... laissa-t-elle tomber, mais j'attendis en vain la suite. Elle était décidée à se taire.

Elle écoutait le piano et mon bavardage la dérangeait. Sans doute pensait-elle comme moi, lorsque je me trouvais avec eux?

Je me levai sans qu'elle fît un mouvement et passai à l'office.

Dans le hall, le piano résonnait comme une victoire. Cela venait d'une grande porte à gauche de l'escalier. Je l'entrouvris. Je vis le piano à queue au milieu d'une salle de travail tapissée de livres.

— Laure!

Antoine se leva.

— Restez! dis-je, je suis venue vous entendre.

— Que s'est-il passé? Pourquoi cette disparition?

Il s'approchait de moi.

— Rien, dis-je heureuse.

M'aimait-il donc un peu?

— Où êtes-vous allée?

Il ne me serra pas contre lui, comme je l'avais espéré à l'instant, il me vouvoyait au contraire et ses yeux anxieux me gardaient à distance.

— Répondez! lança-t-il. Ma joie cassa d'un coup.

De la méfiance! C'était de la méfiance, non de la crainte affectueuse qui étirait cet œil marqué, ces lèvres minces.

— Avez-vous parlé à quelqu'un? D'où venez-vous? Répondez!

Il me saisit le bras et me secoua.

Aigres, les fruits de la méfiance. La colère me mit le feu aux joues.

— J'ai passé la journée dans les champs, en face, dis-je sourdement.

Il me semblait qu'Antoine n'avait pu comprendre mes grincements, car je vis de la stupeur dans ses yeux.

— ... besoin de solitude, continuais-je avec effort. La déception me nouait. Ou bien n'étaient-ce simplement que la faim et le soleil qui me montaient à la tête?

Je cherchai un fauteuil et m'y laissai tomber.

Des voix féminines percèrent le silence par éclats rapides.

— Je te demande pardon! murmura Antoine en venant près de moi. Il passa la main sur mon front et me força à le regarder.

Il répéta doucement:

— Je te demande pardon, Laure!

Comme je fléchissais vite! Pas de fierté! Mon cœur se mettait déjà à chanter ce bonheur découvert ici, et qui m'amollissait.

Ses lèvres m'effleurèrent.

— On vit tellement à la merci... s'excusa-t-il. Tu comprends?

Oui. La lavande ensorcelante et cet Antoine trop beau m'auraient fait comprendre n'importe quoi.

Que restait-il, en cette minute, de mes amours précédentes?

J'étais sûre, alors, de n'avoir jamais aimé encore. Si sûre d'Antoine, et que tout devenait possible près de lui, par lui.

Mon espoir me parut très neuf. Une longue habitude de renoncement a priori, de doutes, de résignation immédiate m'éloignaient de rencontres véritables. L'excès de travail aussi...

Aujourd'hui la porte s'ouvrait sur des espoirs enfouis.

— Laure! Tu iras voir notre prisonnier, n'est-ce pas? Jean ne rentrera pas avant neuf heures. Je voudrais tant que tu ailles le voir avant.

— C'est fait...

— C'est fait?

— S'il pouvait boire un peu de lait sucré, cela le soutiendrait. Il est si faible!

Antoine se ressaisit.

— Tu es entrée comme ça? Personne ne t'a vue?

— Personne.

La perplexité le masquait de rides si grotesques que j'eus envie de rire.

Mais son regard me retint.

— Je lui porterai ça, dit-il enfin.

— Aussi de l'aspirine, ou un calmant.

— Jean a promis de se procurer de la morphine.

Antoine avait-il un ton étrange ou était-ce moi qui flottais, déformant ses paroles? Pourquoi me rappelait-il un carnaval où mon père s'était fabriqué une figure à la fois grave et perplexe des plus comiques.

— Et sa blessure? demanda encore Antoine, as-tu regardé sa blessure?

— Elle ne serait pas trop grave si le docteur ne tardait plus... Jean aura-t-il aussi appelé un docteur?

La colère en moi devait être latente, car à la moindre occasion je la sentais intacte et prête à jaillir, à effacer tout le reste.

— Tu lui as parlé? fit Antoine avec sa douceur. Il me força à me lever, me tint par les épaules en face de lui. Il connaissait admirablement son emprise. Ma colère sombrait.

— Je ne comprends pas un mot de cette langue. Mais on dirait qu'il demande toujours la même chose... Vous devriez monter le voir, ajoutai-je fermement.

Il me serra contre lui. Sa beauté menaçait à nouveau mon repos intérieur. Je m'efforçais à dominer un assaut en moi qui aveuglait ma lucidité.

— Vous n'allez pas le tuer, j'espère? dis-je encore.

Antoine balança d'abord la tête à droite et à gauche en fermant les yeux comme un enfant qui a mal. Puis, il fit la moue de telle sorte que je crus qu'il retenait un sanglot. Mais il parla d'une voix durcie:

— Cet homme doit mourir!... Leurs tortures sont infaillibles pour faire parler les gens. Tu les connais, leurs tortures, non?

La peur me gagnait. Peur de n'importe quelle solution.

— Tu aimes les Allemands ou quoi? me demanda-t-il et ses paupières battirent. Je m'écartai de lui. Il se fâcha:

— Tu estimes sans doute que ce n'est pas à lui de payer pour les autres? C'est ça?... Dis-le! Mais nous payons tous, ma pauvre enfant, tous!

De la terrasse, des rires coupèrent son élan. Il se jeta sur le tabouret et frappa furieusement sur les touches. Il rejoua en force le passage difficile et accrocha comme tout à l'heure. Il lança un «Ah!» et chercha nerveusement une cigarette dans la poche de sa chemise, puis l'alluma. Même méchants, ses gestes restaient gracieux. Je ne pouvais m'empêcher de ressentir sa présence, précieusement.

Je restais là, debout à côté du fauteuil, à attendre qu'il me reprenne contre lui. Mais il fumait, plus calmement, me sembla-t-il.

— S'il meurt (il ne disait pas si on le tue), nous l'enterrerons cette nuit dans le bois.

Les voix féminines n'arrêtaient pas de se succéder et parfois elles arrivaient jusqu'à nous comme un chuchotement indiscret.

— Tu t'es moquée de moi! dit Antoine avec rancune. Je n'ai rien fait de bon aujourd'hui. Pas une ligne... Il indiquait son bureau.

— J'ai oublié l'heure, je vous assure.

Il ne remarquait pas mon vouvoiement. J'en faisais une sorte de coquetterie. Je ne voulais lui donner mon intimité qu'au moment choisi par moi. Pas entre deux colères.

Il écrasa sa cigarette dans un cendrier d'étain, se redressa, et les mains dans les poches, me dévisagea d'un regard accusateur.

J'attendais toujours qu'il fasse la paix et franchisse les deux pas qui nous séparaient.

J'avais de plus en plus besoin de lui. Mais au lieu de se rapprocher, il marcha vers la fenêtre et j'eus une sensation d'abandon aussi injuste que désagréable.

Les volets, comme ailleurs, étaient à demi fermés.

Antoine immobile, face au jardin, ressemblait à Tristan comme je l'imaginais, légèrement voûté par le chagrin.

Nos pensées s'étaient-elles rejointes?

— En ce temps-là, fit-il en me montrant d'un geste révolté son manuscrit, on ne faisait pas tant d'histoires... L'ennemi, on le tuait.

Il pivota sur lui-même.

— D'ailleurs c'est mon devoir, non?

Sa voix dérailla comme le piano, lorsqu'il ratait la note.

Je me décidai à rejoindre Gene et Claire sur la terrasse. Elles avaient bien raison, elles, de rire et de s'amuser.

A mon mouvement, il comprit que j'allais le quitter. D'un bond il s'interposa:

— Un moment! dit-il tout bas en posant sa paume sur ma bouche.

Donc lui aussi, derrière ces discours, au fond de ce débat, avait songé à me serrer contre lui! J'étais paralysée par sa chaleur.

Le pouvoir qu'ils possédaient, Gene et lui, ne cessait de m'étonner.

— Si je commence à t'aimer, murmura-t-il, ce sera grave. Toi, je ne pourrais que t'aimer tout à fait, totalement, ou bien, il faudrait que nous nous séparions tout de suite...

Je tentai de lire dans ses yeux gris. Était-il aussi sincère que sa bouche sur la mienne? J'avais appris que les baisers, si ardents fussent-ils, peuvent se donner sous des impulsions très éloignées de la tendresse, d'un sentiment véritable... Et je savais combien, chaque fois, je me leurrais, passionnément sourde aux raisonnements.

Cette joie, qui dansait en moi s'habillait déjà d'amour, se parait pour la fête d'Antoine.

Il me semblait qu'il venait de dire, par miracle, exactement ce que je pensais moi-même et cette rencontre me réjouissait.

Mais il est probable que je suivais tout simplement sa volonté, son caprice. Et l'haleine de tabac que je retrouvais sur ses lèvres et la lavande sur sa peau, me dictaient, en écho, ses paroles.

Le jour au déclin, ma grande faim après cette interminable journée au soleil, les rires aigus des filles dehors (des rires comme on n'en a qu'en vacances) tout effilait ma sensibilité jusqu'à la souffrance.

J'étais clouée en croix par une espèce de délice et l'angoisse, la peur.

Le jeune Allemand vivait au centre même de mon bonheur, un bonheur voluptueux qui liait mes hanches à celles d'Antoine, dans le cercle piégé d'une maison sorcière.

D'ailleurs était-ce Antoine que je commençais à aimer ou bien plus que lui, Tristan, le piano d'acajou, le château aux volets clos, la magie de ce lieu ?

Lorsque Gene surgissait de mon enfance, elle se tenait seule et droite dans mon amitié, sûre de la place que je lui gardais en moi, comme une première de classe sur le banc dur de l'école.

Mon père aussi, j'étais certaine de l'avoir aimé pour lui.

Pas seulement parce qu'il était mon père. Mais l'homme qu'il fut m'émouvait. Ses contradictions ont toujours attiré en moi ce qu'il y a de plus féminin.

Sa puissance à mâcher de la vie, la pulpe et le fruit d'une dent égale, son courage à se lever avant l'aube pour gagner quotidiennement de quoi me nourrir, me vêtir, nous chauffer. Sa force à braver le monde pour sa fille, pour la victoire de sa fille.

Et en revanche son incroyable lâcheté devant l'alcool qui le ruinait minutieusement jusqu'au tréfonds.

Pourquoi ?... Pourquoi défais-tu en une heure tant de... ?

Il ne me répondait jamais. Sa noyade le concernait. Son refus était implacable. Il prenait son droit de fuir comme il l'entendait, et cela aussi, je l'ai aimé en lui.

— Laure, tu m'aimes? demandait Antoine.

Je fis oui. Je ne mentais pas. Même si je ne m'adressais qu'à Tristan, j'éprouvais de l'amour, même si, passées les grilles du parc, il devait s'évanouir en nuée invisible.

Pensait-il comme moi?

Nous échangions en tout cas ce qui nous semblait venir du plus profond de soi, du plus chaud.

Je songeais naïvement que j'amassais des réserves pour demain, pour des années.

Or, rien ne se consume plus vite que le bonheur, et le souvenir qui nous tient ensuite, il faut bien du courage pour s'en sortir intact.

C'est la voix gaie de Claire qui délia nos baisers.

Jusqu'alors, Claire n'existait pas pour moi. Je ne permettais pas qu'elle existât.

Sa beauté, je la trouvais froide, sa grâce, d'une majesté trop étudiée, et je voulais qu'il en fût ainsi dans l'opinion qu'Antoine pouvait se faire d'elle.

Gene elle-même, je ne lui donnais pas la place qu'elle occupait auparavant en moi, Antoine ayant vite comblé un coin réservé, dans mon enfance, à ce qu'il y avait de meilleur, de plus beau et de plus estimable.

Comme nous marchions main dans la main à travers le grand salon plein d'ombre, je sentis sous mes doigts, l'alliance d'Antoine.

Ce contact trop chargé me chavira. Je m'écartai brusquement de lui.

— N'oubliez pas le lait sucré, fis-je à mi-voix.

— J'irai, assura-t-il.

En arrivant sur la terrasse, nous ressemblions à des conspirateurs, mais Gene ne parut pas s'en apercevoir.

Elles étaient en tenue de tennis, jupes courtes et plissées plus belles l'une que l'autre, leurs raquettes posées sur la table où le thé avait été servi.

Gene regarda tout de suite Antoine d'un air interrogateur.

J'étais, je le savais, l'unique objet de ce regard.

— Tout va bien? demanda-t-elle sans s'adresser à personne.

A la réponse d'Antoine, à son air tranquille, elle se détendit.

La question se réglait tout simplement, d'un regard. Comme ils se comprenaient...

J'en ressentis un picotement de jalousie. De ce bref dialogue silencieux, Claire ne vit rien.

M'ignorant complètement, elle dit à Antoine, en penchant la tête, de façon à ne jamais cacher son profil :

— Gene m'a battue en trois sets ! Nous sommes mortes. Il faisait... une de ces chaleurs... Le tennis est si abrité... de tous côtés. Nous mourions... de soleil.

Sa voix avait des inflexions charmantes, et elle coupait ses phrases d'un temps qui obligeait l'attention.

On levait les yeux sur elle, malgré soi, parce qu'on attendait la suite.

Nous nous assîmes dans les fauteuils d'osier recouverts de coussins multicolores.

Mon malaise de la veille revint m'assaillir de manière indéfinissable.

Sitôt qu'ils se groupaient, ils parlaient entre eux légèrement, se lançant les mots, comme des balles veloutées.

Moi, par un étrange effet de contraste, je coulais à pic.

Ce qu'il y avait en eux de fin, de fluide, m'épaississait.

Ma langue alourdie devenait incapable d'exprimer ce que d'ailleurs mon cerveau cessait de lui transmettre.

Je retombais dans une torpeur que je n'explique pas encore aujourd'hui, et qui m'emportait vers un univers qui ne devait avoir, avec le leur, aucune attache.

Sentaient-ils cela, eux aussi ? En tout cas ils ne faisaient rien pour m'inviter auprès d'eux. Sauf Gene, qui, cet après-midi-là, m'envoya de sa lointaine blancheur, un sourire, un clignement d'yeux aussi inattendu que chaleureux.

Elle ne m'en voulait pas de ma disparition. Gene m'étonnerait toujours.

Au contraire, j'eus même l'impression qu'elle s'efforçait à me rejoindre dans mon absence, qu'elle lâchait, à diverses reprises, la conversation de Claire, pour m'aimer un peu, moi seule, noire et muette.

Pour ces moments d'amitié parfaite, j'aurais patienté des mois encore, à travers les caprices de son arc-en-ciel.

Antoine, lui, ressemblait à un marbre antique. Son visage ne révélait rien de lui-même. Je commençais, pensais-je, à le connaître lui aussi. Il avait son air de mystère, et pour ceux qui s'y méprenaient, une amabilité simple, lasse d'une journée de travail.

Claire pointait la voix pour insister ou préciser une idée.

— Les Jodoye m'ont prêté un disque sensationnel: un concerto pour flûte de Mozart... Te rappelles-tu, Gene, nous l'avons entendu l'an dernier au concert avec Pierrot et Mone?

— Non, dit Gene, je ne me rapelle pas.

— Mais si! Pierrot nous a emmenés ensuite souper chez Davignon.

— Davignon?

— Les Davignon des charbons... Tu sais bien! Des amis de toujours!

— Ah! Oui! s'exclama Gene qui sortait du néant.

«Amis de toujours», c'était pour eux la clef d'un parc privé, aussi gardé que leurs bois.

Je pensais très fort au porto. J'espérais que quelqu'un en proposerait.

Le soleil ne m'avait pas assez saoulée sans doute, car à différentes reprises, l'image de la fièvre, du sang coagulé, de cette peur surtout dans des yeux inconnus et familiers à la fois, vinrent troubler ma retraite.

Gene m'en arracha deux, trois fois, puis le grand calme du jardin triompha, me plongeant tout entière dans sa paix tendre et verte.

Ce fut, je crois, malgré des brûlures brèves mais aiguës,

une des journées les plus immobiles que j'aie vécues.

J'attendais, enfoncée dans des coussins moelleux, la tombée du jour, l'arrivée du dîner, la fin de quelque chose ou plutôt, un commencement savamment enrobé de secret.

Et cette attente me paraît, aujourd'hui encore, éternelle.

On ne servit l'apéritif qu'à l'arrivée de Richard. Il venait chercher Claire pour le dîner, mais ils restèrent encore longtemps.

— Prends garde! fit Gene en me voyant saisir un verre sur le plateau.

Pourquoi avais-je une telle envie de replonger dans l'aquarium?

A leur conversation, je constatai que ni Richard, ni Claire ne savaient rien du prisonnier.

Ils parlèrent à mots couverts, pour ne pas se faire entendre de moi, du colis que Jean déposerait là où il fallait...!

Je riais dans mon verre.

On m'avait donc confié, à moi, ce que l'on cachait à des amis si proches!

Bien sûr, ils continuaient à s'entretenir de faits et de gens que je ne connaissais pas. Ils causaient comme hier, par-dessus ma tête, avec la même élégance racée.

C'est ce soir-là que Claire fit sa remarque au sujet des balles de tennis et qui me sonne encore aux oreilles!

Richard parla, comme la veille, de sa nouvelle pompe à irriguer les tomates.

Antoine redit avec des mots presque identiques leur chance de posséder une source.

Le porto me troublait lentement, avec une même rage d'aliénation, m'emportait vers des mers aussi vertes que la pelouse, et aussi parfumée que le jardin.

Quelque chose, pourtant, nous unissait, Gene, Antoine et moi, en dépit des apparences.

Mon silence pesait ce soir dans notre futile réunion et rejoignait, entre deux rires, deux phrases à eux, un silence furtif d'Antoine, un bref regard de Gene.

Le chien qui aboyait toujours dans la campagne, le sifflement du merle, les passages fantômes de Marie qui dressait la table pour le dîner, tout portait une signification seconde qui inondait mon verre d'une joie rouge et fébrile.

Vain et sot le profil de Claire, son dédain au bout de son cou gracile.

Richard l'emmènerait bientôt, et nous resterions à trois, ici, avec notre neuve et merveilleuse complicité.

Un repas dégrise.

Nous mangeâmes sans rien dire. A présent, mon esprit ne pouvait plus se détacher du blessé, de sa soif, du sang qu'il perdait...

Antoine ne montait pas le voir, et d'apaiser mon appétit me rendait le dénuement du soldat plus cuisant.

Gene, après le départ de Claire, m'embrassa affectueusement et Antoine lui dit où j'avais passé la journée.

Elle se contenta de cette seule explication et ne posa pas de question.

Je restais donc là, en face de ces deux êtres pour qui j'étouffais de tendresse. Un besoin exigeant de partager mes émotions avec eux me ployait.

Déception aussi d'avoir à garder pour moi seule l'image des lèvres craquelées, des yeux creusés de faiblesse, de ce moment dans la maisonnette où un blessé ennemi échangea avec moi une pauvre chaleur sans langage.

Malgré ma faim, ma bouche se desséchait et il me devenait de plus en plus pénible d'avaler.

Au dessert je ne pus me retenir de dire à Antoine :

— Vous n'oubliez pas le lait sucré ?

Question qui surprit Gene. Lorsqu'elle apprit que j'avais soigné l'homme, elle me sourit en posant sa main sur la mienne :

— Laure est gentille. Elle a toujours été dévouée !

Je ne sais pourquoi j'ai mal supporté cette manifestation d'estime.

100

Qu'ai-je répondu de coupant qui souffla sur la terrasse un vent d'animosité.

— Elle est folle, ma parole! s'écria Gene.

Antoine nous ramena au calme, mais le silence qui suivit était encore vibrant de colère.

Mes tempes battaient et ma langue se gonflait de reproches.

Des reproches surannés, des explications intempestives, mais qui me remontaient à la bouche de lointaines plaies non fermées.

Je me taisais, pourtant ce n'était pas faute d'arguments.

— Cette histoire nous rend tous si nerveux, dit Antoine. Et nous ne pouvons pas perdre notre calme.

Il nous regardait l'une, puis l'autre avec tant de gentillesse paisible que je réagis aussitôt. Il avait raison. J'étais ridicule de prendre feu pour un geste aimable de Gene.

Je me levai et l'embrassai sur les joues.

Alors il se passa ce que j'imaginais impossible.

Elle éclata en sanglots et se cacha la figure mouillée de larmes.

Antoine aussi s'était précipité et nous la consolions ensemble, comme nous pouvions.

Elle pleura longtemps, scellée sur le vrai motif de son chagrin.

Lorsque Maria apporta les fruits, Gene se redressa, honteuse de s'être laissée aller. Son visage était tout brouillé, mais déjà son regard devenait beau et clair. En quelques minutes, il n'y parut plus rien.

Antoine allumait une cigarette et fit face à la grande pelouse, les yeux perdus dans un rêve.

Moi, j'étais assise sur l'accoudoir du fauteuil où Gene retrouvait sa respiration. Je sentis qu'elle cherchait ma main et nos doigts s'étreignirent, puis restèrent longtemps enlacés, tandis qu'un clocher au loin sonnait neuf coups, et que les couleurs prenaient un relief étrange dans la lumière fuyante du soir.

— Mets ma robe, insista Gene, mets-la, je t'en prie!
Elle t'allait si bien hier!

Pourquoi me suppliait-elle? Est-ce qu'elle imaginait la
soie encore parfumée faisant de moi, soudain, une fée?

— Je t'en prie! Laure!

Comme elle était!

Presque timide, belle Gene, plus chatte que femme, je
ne pouvais rien te refuser. Jamais.

Je montai donc enfiler cette robe et me recoiffai ensuite
soigneusement. Je croyais entendre Gene:

— Tu tords la masse des cheveux, mais tu triches, tu lui
laisses tout son volume...

Sauf une barre entre les sourcils, je me sentais envahie
de beauté.

Fée, oui, par la magie du satin moulant et du jasmin.

Je marchais vers la fenêtre en me tenant très droite, la
tête rejetée en arrière alourdie par mon chignon.

La coiffure et la robe de Gene me sortaient de moi-
même. Je donnais à ma démarche l'élasticité de son pas
dansant.

Je poussai le volet et me penchai pour voir la maisonnette où l'on souffrait en silence.

Il n'avait pas encore bu le lait sucré, Jean n'était pas
rentré avec la morphine, et de l'aspirine, on ne parlait
plus.

Le lit devait déjà être trempé de sueur. Le genou
enflait-il encore? Comment devenait sa figure noire de

cernes et de fièvre?

Ma tranquillité passagère se broyait. Faudrait-il donc revoir toujours l'agonie de mon père sous divers visages, mais chaque fois arrachée à mon repos, à une joie, et ce soir, à mes vacances?

On imagine, quand on souffre du mal d'un être, qu'on sera délivré le jour où il trouvera sa délivrance!

J'ai vécu si souvent le souvenir d'un chien écrasé, d'un enfant mort, d'un cri dans une ville inconnue.

Vécu, et vécu encore. Et le plus souvent, l'image douloureuse venait à ma rencontre au milieu d'un bonheur en apparence invincible, solide et bardé.

Mes bonheurs, mes amours, mes meilleurs moments ont été si précaires, si fragiles, que j'ose à peine y croire, lorsqu'il m'en tombe un, et sourire de confiance.

La clarté blanchit déjà, on voit les premières étoiles dans un ciel indécis.

Je descends lentement le bel escalier de bois ciré. Mes pas s'étouffent sur les tapis du hall et du salon.

Antoine est seul sur la terrasse et à nouveau sa silhouette, dans la pénombre, ressemble à une statue de pierre. Il ne m'a pas entendue venir et je puis le regarder tout à l'aise, de la porte-fenêtre du salon. Je veux le surprendre dans sa solitude, voler un coin de son intimité, m'emparer à son insu, de sa vérité.

Mais rien. Il fume et le crépuscule le dérobe jalousement à ma curiosité.

Pense-t-il au prisonnier? A son livre? A moi?

Ou bien tout simplement se laisse-t-il bercer par le charme de cette maison sorcière, par les bruits du jardin, les appels dans les arbres, les premières étoiles?

Est-il compliqué? Ou serein jusqu'à l'oubli?

Quelques pas à peine nous séparent l'un de l'autre, mais nous sommes isolés du monde par un bois, une colline et des champs.

De nouveau, en une bouffée de jasmin poivré qui

imprègne ma robe, je crois devenir absurdement belle.

La présence d'Antoine réveille la peau nue de mes épaules, gonfle mes lèvres, avive mon besoin de chaleur.

Je m'avance sur la pointe des pieds, et par derrière, je pose mes mains sur les yeux d'Antoine.

Il sursaute, mû par une force soudaine qui l'électrise : la peur.

— C'est toi, ah !

La chaleur que j'espérais s'est raidie en glace. Il se tait et me déteste.

— Je regrette, dis-je. Ma peine est froide et je suis fatiguée brusquement. La vie m'accable par tonnes de tonnes. Elle ruisselle de mépris par les yeux d'Antoine. Je frissonne.

— L'avez-vous revu ?... A-t-il enfin reçu du lait sucré ?

Pourquoi cette robe ridiculement habillée, ce chignon, ce parfum, si c'est pour entreprendre une lutte qu'Antoine va repousser ?

— Jean est-il enfin revenu ?

— Jean ne rentrera pas avant la nuit.

Je m'étends sur un transatlantique. Le ciel s'obscurcit de seconde en seconde. La lune viendra plus tard, sans doute, à juger par la nuit précédente.

— Antoine !

Je fais ma voix aussi douce que possible et il s'approche très grand au-dessus de moi.

— Jean ira chercher un docteur ?

— Le seul que nous puissions appeler habite en ville.

— Jean pourrait y aller à vélo, n'est-ce pas ?

— Je suis son chef, dit Antoine sans bouger. Jean fera ce que je lui ordonnerai. Mais je ne risquerai pas un de nos hommes pour cet Allemand.

Est-ce comme hier, le même crapaud qui lance son coassement nocturne ? Où se trouve cette source chère à Antoine ?

C'est de là, sans doute, que vient l'appel vert et gras.

— Il lui faut un médecin, dis-je malgré moi, sinon il crèvera. Sa plaie est infectée. D'ailleurs ce n'est pas une blessure, c'est un carnage.

— Tais-toi! lance Antoine. Tu le fais exprès, oui?

La haine aiguë à travers ses paroles m'a griffée en profondeur.

Moi aussi, je le déteste beaucoup.

— L'avez-vous seulement revu aujourd'hui?

Le crapaud insiste là-bas près du potager.

— J'irai, répond Antoine brisé autant que moi.

— Le lait sucré? Il est si affaibli. Il saigne encore... Le savez-vous? Un sang noir...

Antoine s'écarte brusquement et longe la terrasse.

N'importe où, mais là où il n'entendra plus parler de cette blessure qui le torture. Au bout de la maison, il s'arrête, juste au coin. De là, il peut voir la maisonnette, le volet clos de la chambre.

Son immobilité, à tout instant, fait de lui la sculpture antique la plus chargée de sens cachés que j'aie connue.

Antoine est un hiéroglyphe, une âme intraduisible comme celle qui inspire la passion.

Et je n'étais pas loin d'en ressentir pour lui.

Peu à peu le jardin perd ses couleurs. C'est bientôt l'heure des chats.

Antoine n'a pas bougé. J'aperçois le point rouge de sa cigarette et par moments, m'arrive l'odeur du tabac noir qu'il fume avec acharnement.

Il doit guetter le retour de Jean, ou les gémissements du soldat. Entendrait-il de là, les plaintes qui me faisaient frémir?

Antoine est inquiet, lui aussi et j'ai tort de le harceler en vain. Il sait ce qu'il doit faire. Il attend Jean et la morphine, il enverra Jean chercher le docteur en ville.

Peut-être, en effet, le lait sucré ne convient-il pas à un malade? S'il en était incommodé ensuite?

Antoine, je regrette d'avoir douté de toi! Tes épaules se voûtent et moi je n'apporte que mes odieux soupçons.

Je me lève, prête à réparer cette brèche entre nous. Ma tendresse s'émeut à voir sa grande ombre au bout de la terrasse, seule avec sa peine.

J'allais le rejoindre lorsque Gene apparaît, précédée de son parfum poivré et du frou-frou de sa robe.

— Où est Antoine?

Je lui montre son oncle qu'elle appelle aussitôt.

Les mains en poche, il vient vers nous du même pas souple que celui de Gene.

— Ne restons pas ici, dit-elle. Ce jardin qui s'assombrit me fait peur.

Antoine ferme les volets et nous nous installons dans la

rassurante lumière du salon en soupirant tout les trois de plaisir.

— C'est mieux, n'est-ce pas? dit Gene. La nuit tombante me prend à la gorge.

— Pourquoi l'obscurité nous incline-t-elle à l'obsession? demande Antoine, et en ouvrant une armoire ancienne: Gene, n'y a-t-il rien d'autre que du porto?

— Rien! Elle bâille, s'étire.

Le confort nous recouvre à présent d'un moelleux édredon qui assourdit les appels du dehors.

Et ce salon est une merveille de confort. Je n'ai rien vu hier.

Sur le satin des fauteuils, je fais glisser mes doigts, et aussi sur la pierre de la haute cheminée. Les meubles sont d'acajou et les rideaux semblent coupés dans des tissus d'Orient.

Antoine remplit les verres.

Je bois par culte, par amour, non parce que le porto me plaît.

Gene suit des yeux les gestes de son oncle.

— Antoine me ressemble, ne trouves-tu pas, Laure?

— Sois logique, intervient Antoine, c'est toi qui me ressembles.

— Ta logique m'effraye, tu parles comme un oracle!

Gene rit et sa voix s'étouffe dans les tapis, les soies, les rideaux damassés.

Comme hier, je reste debout, le dos contre la pierre dure de l'âtre. J'aime que ce contact solide et froid brise en moi un excès d'ardeur.

— Disons que tu ressembles à ce que j'étais en 1930. Vous étiez des enfants alors...

Il me fixe avec une coquetterie inquiète, guettant ma réaction.

Croit-il que j'ignore son âge, que je vais m'exclamer qu'il paraît moins? Ne sait-il pas que tous ses traits accusent le temps?

Je souris en silence et son visage se défait. Ni Gene, ni moi n'avons eu la bonté de raccourcir cette distance qui le blesse, le repousse dans une génération qui n'est pas la nôtre.

— Demain nous irons chercher le lait avant le petit déjeuner, dit Gene en s'adressant à moi.

— Maria n'en apporte pas chaque matin? demande Antoine.

— Pas demain. Ils en manquent, je ne sais pourquoi.

— A quelle heure? dis-je.

— Oh! Pas trop tôt! C'est tout près. La ferme de l'autre côté de Froidmont.

— Froidmont? Je croyais que c'était ici.

— Froidmont, c'est la colline là... Gene fait un geste vague.

— Ceci s'appelle tout de même le Domaine de Froidmont, interrompt Antoine. Laure a raison.

— Ta femme t'a écrit? demande Gene à brûle-pourpoint.

L'a-t-elle fait exprès pour le troubler, car il se trouble?

Ou bien est-ce une simple association d'idées à cause de l'appellation du lieu.

Antoine a détourné ses yeux des miens.

— Tu ne m'as pas entendue, insiste Gene d'un ton trop calme.

Je reconnais la lance qui frappe toujours au but.

— Si, si. J'ai demandé qu'on ne m'adresse plus rien par la poste. C'est prudent.

La cicatrice sourit seule dans son regard clair et lui donne un air de mélancolie désabusée.

— Si j'allais revoir le prisonnier, fais-je avec audace, il a peut-être besoin de quelque chose!...

— J'achève mon porto et j'y vais, dit Antoine. D'ailleurs à cette heure-ci, Jean et Paul sont revenus.

— As-tu pris une décision? dit Gene en étendant ses

jambes sur le satin gris du divan.

L'humeur d'Antoine s'électrise. Maintenant il a nettement l'œil gauche plus petit, l'air sarcastique. Il ne daigne pas répondre, il réfléchit, les lèvres fines. Son étrange expression me fait ressentir le froid de la pierre contre le décolleté de mes épaules.

Gene aussi, en dépit de sa jolie robe et de ses pommettes veloutées, semble mal à l'aise, mécontente. Que cache-t-elle derrière ses questions désagréables?

L'inquiétude d'Antoine, je la vois davantage. Elle ne le quitte plus à présent. Par moments, simplement, elle se fige dans l'immobilité totale de tout son être.

Antoine me regarde enfin.

— Ça va? me demande-t-il.

C'est un appel. Je le comprends aussitôt. Il a besoin de moi, de me savoir pour lui, totalement.

Notre échange de tendresse tacite, Gene l'a surpris et tout de suite la crainte des représailles de sa part me donne envie de fuir. Je crois devancer son désir en murmurant:

— Il vaudrait sans doute mieux que j'abrège mon séjour ici...

Et dans le silence, j'ajoute avec chagrin: Je suis mal tombée dans cette histoire!

— C'est plutôt l'histoire qui est mal tombée dans vos vacances! coupe Antoine.

Gene soupire.

— Il faut avouer que les choses ne vont pas pour le mieux! dit-elle, et sa phrase ambiguë me transperce.

Je vois où elle me mène. Mille fois elle a agi de la sorte.

Me sachant maintenant protégée par Antoine, elle me rejette, me piétine, me griffe jusqu'à mes larmes. Il faut qu'elle me sente capable de pleurer pour elle. Alors elle sera tranquillisée.

— Laure n'y est pour rien! s'exclame Antoine qui aggrave la situation en croyant me sauver.

— Je puis partir demain par le premier tram, dis-je au bord des larmes. Je suis furieuse de me découvrir les nerfs si fragiles.

— Ne serait-ce pas prudent pour elle? interroge Gene.

La douceur qu'elle verse dans sa voix me peine plus que si elle me chassait avec colère.

— Prudent? Que veux-tu dire?

Antoine qui se fâche pour moi, me comble et m'irrite tout ensemble de tomber dans le piège.

— Nous risquons beaucoup, non? Gene se redresse, et malgré un calme apparent, j'aperçois du rose sur ses joues.

— Pas Laure, en tout cas, ni toi!

— Laure et moi ne sommes-nous pas tes complices? Il la reconnaîtrait! Il dirait: c'est elle qui m'a soigné! Ça la condamnerait sûrement! Moi je puis affirmer que j'ignore tout de l'affaire, mais Laure!

— Cet homme doit mourir, grince Antoine, et je le vois qui ferme les paupières pour noircir son esprit de toute autre pensée.

Dans le silence qui suit, je me sens écrasée. Est-ce que Gene veut vraiment que je parte? Que signifie leur dispute?

Une fois de plus il me faut tenter de les comprendre à travers ce qu'ils disent. Ne parleraient-ils donc jamais un langage simple?

Par quel cheminement arriverais-je jamais à me rapprocher d'eux?

Se chamaillent-ils pour moi ou contre ma présence ici?

Me faut-il les prendre au mot et partir? Mais les abandonner en ce moment ne leur paraîtrait-il pas une lâcheté?

Ce balancement propre à mes relations avec Gene, je ne m'y habituerais jamais.

111

Le sol vacille sous mes pieds. Dans ma main, mon verre étincelle de ce remède grenat qui, avalé, me redonnera bien vite le plaisir de vivre. Je bois, puis j'attends ce trouble tiède qui, la veille, m'a fait rire aux éclats... mais au lieu de la joie escomptée, ce sont des larmes qui me sautent dans les yeux et roulent sur ma robe. Impossible de retenir ce jaillissement soudain. Et eux me fixent incrédules.

Vraiment je ne vaux guère mieux qu'une Claire fardée de dignité.

Moi, c'est mon chagrin que je leur livre ainsi, dans un moment de faiblesse que je revois tout englué de honte.

Antoine et Gene étaient restés sur place, attendant que j'aie retrouvé mon calme.

Leur expression si semblable me frappe de nouveau. Devant les désagréments, ils se cabraient. Comme je n'avais pas de mouchoir, Antoine me tendit le sien, et dans ce coton d'Egypte tout imprégné de lavande, je découvris ma tendresse! En le lui rendant, nos doigts s'effleurèrent et les yeux gris reprirent possession de moi.

— Laure est fatiguée, fit-il gentiment. Elle est venue pour se reposer, non?

— Tu as mal compris ma pensée, me dit Gene sans bouger du canapé. Je ne voulais qu'obtenir d'Antoine l'ordre de liquider le prisonnier dangereux. Antoine, tu es trop humain mais Jean et Paul attendent ta décision. Je leur ai parlé ce soir...

— Tu les as vus? demanda Antoine et il pâlit.

— Ils mangent à la cuisine. Ils sont crevés d'avoir roulé toute la journée...

— Pourquoi ne pas m'avertir plus tôt? fit Antoine en écrasant sa cigarette. Je ne l'avais encore jamais vu aussi nerveux.

— J'allais le faire, mais je voulais savoir ta décision. Ils mangent. Attend au moins qu'ils aient fini! lança-t-elle à Antoine. Mais il ne l'écoutait plus. Il nous quittait en hâte.

Gene me fit face. Elle semblait tout à fait détendue, presque gaie.

113

— Ça va? dit-elle en souriant, comme si rien ne venait de se passer.

Le «ça va?» devait être un tic de famille.

Je ne répondis pas. J'étais éperdue d'émotion. Une naissante ivresse et le regard curieux de Gene qui ne cessait de m'examiner achevaient de me troubler.

— Antoine est magnifique, n'est-ce pas? Il est si profondément humaniste!

Elle eut un rire bref et ajouta:

— Malgré son courage, il n'est absolument pas né pour les problèmes de la guerre...

Gene appuya la tête sur l'accoudoir rembourré du divan. Elle fixait le plafond, me montrant son profil resté enfantin.

En cet instant, c'était comme si les années n'avaient pas coulé sur nous... Nous entrions en latin, très fières de cette première journée de cours, et moi doublement parce qu'on m'avait placée à côté de la plus belle fille du groupe.

Les bancs sentaient l'eau de Javel. Nous ne portions pas d'uniforme comme chez les religieuses, et je ne connaissais personne.

Dans ma solitude, je m'accrochais à ma nouvelle compagne dont le profil m'éblouissait.

Alors, un moment elle se tourna vers moi, me regarda longuement et me sourit. J'en éprouvai un bonheur, un élan vers Gene qui durait toujours.

— A quoi penses-tu? demanda-t-elle.

— A toi et moi, le jour de la rentrée des classes, quand on s'est connues.

— Ah! Oui.

Elle plongeait sans doute à son tour et j'aurais donné beaucoup pour revoir l'école dans ses yeux.

Revivait-elle comme moi une joie proche de l'extase?

C'était toute notre adolescence, nos douze ans, nos rêves et le début d'une longue et douloureuse amitié...

— Tu étais tordante, dit Gene en se rongeant un ongle, tu ressemblais à un petit singe qui a froid.

Voilà! Toujours ces souffles glacés qui pétrifiaient mon affection.

— A la récréation, tu m'as demandé si tu pouvais jouer avec nous. Nous avons tenu conseil, évidemment. Tu te rappelles! Nous étions très strictes pour les nouvelles admissions dans le club.

En principe tu nous étais plutôt sympathique, mais nous avons jugé prudent de te mettre d'abord à l'épreuve pendant un mois. Et toi idiote, tu as éclaté en sanglots. Tu ressemblais vraiment à un petit singe.

Me mettre à l'épreuve! Elle a fait ça pendant six ans!

Et dans ce club où l'on me tolérait parce que j'étais l'amie de Gene, ai-je jamais été heureuse ou simplement tranquille?

Mais Gene dirait que je vivais comme une écorchée, avec raison d'ailleurs. A chaque plaisir, je connaissais vite le revers, à chaque bon moment, la lutte qu'il m'en coûtait!

A Froidmont j'avais vingt ans. Que comprenais-je de plus?

Ce que payaient Gene, Antoine, Claire, notre dû commun à tous, qu'en savais-je alors?

On frappa au grand volet du jardin.

— Ici, Richard !

Gene lui ouvrit. Sa nouvelle robe très habillée l'embellissait encore. N'y avait-il donc pas de limite à sa grâce mouvante ?

— Les Jadoye, Clarisse et Robert sont chez nous. Nous avons mis des disques, on va danser.

Il était rouge d'avoir marché et son teint contrastait avec la blancheur de l'écharpe de soie savamment nouée en guise de cravate.

Gene devait soupçonner ce projet, car elle répondit aussitôt que nous y allions.

— D'ailleurs nous sommes prêtes, n'est-ce pas ? ajouta-t-elle en se tournant vers moi.

Je ne me sentais pas du tout en forme pour ce genre de soirée, ni pour affronter Claire et leurs amis de toujours.

— Je préviens Antoine et nous te suivons, dit Gene en se dirigeant vers le hall.

Lorsqu'elle fut sortie, Richard et moi dûmes subir le silence de notre réciproque inintérêt.

Il ne fit rien de plus que moi pour le rompre et alluma une cigarette, ce qui l'occupa quelques instants.

Mon regard avait-il trop longtemps suivi son geste sans que je m'en aperçoive ? Il parut gêné et toussa comme si la fumée l'étranglait. Enfin il dit :

— Cette petite soirée nous fera du bien à tous. Il est bon dans cette guerre meurtrière, de se détendre un peu...

116

Non?

— Si, fis-je en soupirant.

Jamais je n'ai dansé autant que pendant la guerre, ni avec une telle rage, une telle volonté de m'amuser.

Nous disions alors, et répétions cette phrase qui devait justifier, à nos yeux, ces farandoles où naissaient mes plus sinistres cafards :

— Ça ne sert à rien de se morfondre... Vaut mieux se changer les idées.

Par un hasard étrange, j'entendis, comme la veille, le passage des bombardiers, ce grand ronron régulier qui faisait vibrer tous mes nerfs. Richard leva aussitôt la tête, un large sourire renaissait sur sa face. Il prononça les mêmes mots que j'avais déjà entendus :

— Ils vont nettoyer une ville allemande !

Répéta-t-il cela pendant quatre ans avec cette conviction ravie et sans problème ?

Dans ce cas je lui concède d'avoir dansé en toute bonne conscience pour y trouver la détente que nous cherchions tous.

— Je suis un peu fatiguée, dis-je d'une voix, malgré moi, glacée.

— Dommage ! lança Richard avec indifférence.

Un nouveau silence s'enfla dans le salon et nous le regardions grandir sans faire le moindre effort pour échanger quelque amabilité.

Richard finit par examiner un tableau, ce qui lui permit de me tourner le dos sans paraître grossier.

Enfin Gene nous rejoignit.

— Antoine viendra plus tard. Nous t'accompagnons.

Elle avait jeté un châle sur ses épaules et me tendit une écharpe.

— Pour le retour, me dit-elle.

— Ton amie est fatiguée. Elle préfère ne pas danser ce soir.

Et à moi en grimaçant un air de regret :

— Êtes-vous toujours décidée?

— Je voudrais me coucher tôt. Gene, tu n'es pas fâchée?

Elle m'embrassa et suivit Richard qui sortait. Mais à peine dehors, elle revint sur ses pas et me serra de nouveau contre elle.

— Tu m'aimes, Laure? demanda-t-elle anxieuse. Tu ne m'en veux pas de te laisser ici?

— Amuse-toi bien et pense que je dors, dis-je, tu as grand besoin de te détendre.

Le velouté de ses joues m'étonnait toujours. Elle me quitta joyeuse, en laissant derrière elle, le poivre doux de cette eau de jasmin qui restera liée à jamais, avec le porto rouge, aux nuits d'été à Froidmont.

Ce rendez-vous fut-il pur hasard? Ne savions-nous pas secrètement que l'autre dirait non à la soirée chez Claire?

Nous ne nous étions pas concertés et peut-être Antoine avait-il décidé de monter dans la maisonnette avec Jean et Paul?

Ou de se rendre lui-même en ville pour s'enquérir d'un médecin?

Je restais dans le salon déserté de son monde, à regarder autour de moi avec surprise.

Avais-je imaginé qu'existait un confort à la fois si savant et si discret, des objets si harmonieusement assortis, assemblés pour plaire aux bois, aux tissus? Je contemplais inlassablement la haute cheminée en pierre et ses ustensiles moyenâgeux: pinces à bûches, chenêts en cuivre, soufflet orné.

Mon verre en cristal, le vin translucide en faisait un grenat taillé. C'était un philtre que je buvais lentement et qui incrustait, à chaque gorgée, dans mon cœur, ces images d'une félicité métaphysique.

N'est-ce pas d'alors que date la fascination qu'opère sur moi le luxe?

Mes pas glissaient sur le tapis. Je longeais les fenêtres, frôlais les rideaux, touchais les meubles laqués...

Ce moment de savoureuse solitude prolongeait celui, tout chaud encore, de l'après-midi dans les blés.

Curieusement ici, comme pour les habitants de cette

maison, se mêlaient constamment le présent et le passé. L'un ne m'apparaissait jamais plus réel que l'autre. Mes doigts palpaient le Bouddha polychrome, tandis que mes yeux fixaient le portrait ancien dans un médaillon ouvragé.

Antoine mangeant des fraises, Antoine vivant et doux contre ma bouche, Antoine transfiguré, Tristan dans le bois, ou à l'aube d'une nuit tragique...

J'errais avec ferveur dans ce dépaysement, aussi loin de moi-même que couchée dans les champs et devenue diptère saoulé de soleil.

Et sur ce fond d'enchantement, j'attendais.

Antoine ignorait ma présence ici, mais je jouais avec le sort, me persuadant que s'il traversait le salon, ce serait le présage d'un espoir secrètement nourri en moi depuis deux jours.

— Antoine!

— Laure!

Que peuvent se dire de plus doux, des amants, sinon répéter à l'infini, le prénom qui les comble?

— Laure!

— Antoine!

Par pudeur, nous n'osions prononcer des mots qui lient ou engagent. Nous reposions côte à côte sur mon lit, les yeux rivés au ciel derrière la branche de marronnier.

Ma tête renversée sur le bras d'Antoine, mon corps se pelotonnait contre son flanc. Seule ma main flattait sa poitrine, chastement.

— Heureux?

Avais-je oublié que je posais toujours la même question à laquelle je recevais chaque fois une réponse identique?

Antoine, plus vieux que moi, devait aussi mieux connaître les écueils des questions amoureuses, et cependant il m'étonna en demandant ce que les autres demandaient:

— As-tu un amant là-bas?

Ce «là-bas» envoyait ma vie quotidienne sur un autre continent. Je me sentais morte pour ce «là-bas». Tout ce que cela représentait pour moi s'abolissait. Froidmont seul existait, et Antoine. Nous étions le centre du monde.

— Laure, tu as un amant?

Mon oui n'eut aucun écho en moi.

— Jeune?

Pourquoi Antoine, si loyal, si victorieux dans sa course,

me parlait-il comme n'importe quel soupirant couvert d'acné juvénile?

— Antoine! Pas toi! fis-je avec reproche.

— Si, si, moi! Je veux savoir.

— Je n'ai connu que des camarades d'université.

Je croyais le rassurer, il paraissait plus inquiet.

— Tu l'aimes?

— Qui? J'aime qui?

Je ne pouvais lui dire: «C'est toi que j'aime.» Je n'en étais pas assez sûre. Il fallait que mon amour trop neuf passât son épreuve, comme le «club» me faisait subir la sienne.

— Tu aimes quelqu'un?

Son insistance me surprenait.

— Parfois, répondis-je et ma main quitta sa peau qu'elle caressait.

— Reste! fit Antoine en la recherchant à tâtons.

Brusquement je comprenais. Gene! Leur ressemblance me revenait, tellement évidente que je me surpris de ne pas y avoir songé plus tôt. Gene non plus ne supportait pas la comparaison, ni aucune rivalité. Toujours elle fut ma seule amie. Sans qu'elle m'en eût jamais donné l'ordre, je savais que c'était la condition première de son amitié.

Et j'aimais trop Gene pour risquer de la perdre pour si peu!

— Tu es toujours silencieuse, n'est-ce pas? Gene me l'a raconté. A l'école elle en souffrait parfois.

— Elle en souffrait?

J'étais incapable de retrouver une seule image de Gene affligée. Et affligée par moi me parut incroyable.

Antoine se trompait, ou bien Gene se voyait-elle sous un aspect rénové. Elle s'inventait de la mélancolie...

— Elle m'a décrit votre classe, l'atmosphère confinée, les bancs trop étroits... Tout! J'ai l'impression d'y avoir passé des années avec vous.

— Oui?

Gene vivait-elle donc *vraiment* à côté de moi ? Elle qui m'apportait tout du dehors si généreusement ! Ses leçons de tennis dont je connaissais les droits, les revers, ses moindres faiblesses et ses progrès. Le cours de danse du jeudi avec les entrechats et la Mort du Cygne sur la musique de Tchaïkovsky. Les thés de sa mère où elle aidait à servir, ses voyages...

Se pouvait-il que la classe où nous étouffions, que moi-même si uniformément moi chaque jour, réduite à l'impuissance d'une vie trop limitée, ayons gravé d'une éraflure mémorable cette Gene-cigogne, cet oiseau de paradis ?

— Elle tentait souvent de se rapprocher de toi. Elle te parlait pour t'amadouer, elle faisait mille efforts... Tu restais des matinées entières sans desserrer les dents.

C'est vrai que je serrais les dents à en avoir mal aux gencives.

— Elle t'a décrit un jour le bal masqué, où j'étais d'ailleurs, et pendant lequel une de nos cousines a pris feu. Les bougies de sa couronne ont enflammé ses cheveux. Elle a failli mourir.

— Je me rappelle, dis-je, Gene était costumée en vestale.

— Tu as boudé pendant deux jours.

— Je l'envoyais au diable avec ses bals. Nous étions en période d'examen. Je bûchais toutes les nuits. Mon père, lui !...

Antoine se taisait. Ils possédaient, eux aussi, leurs retranchements. Mais que n'avais-je leur élégance ? Dans mes fuites, je cassais toujours quelque chose.

— Gene en souffrait ? Vraiment ?

— Évidemment, répondit Antoine avec froideur.

Que faisions-nous là, nus et vulnérables ? Le corps humain est sans défense dans sa pâleur lisse.

Mes torts, je commençais à les entrevoir dans les lattes disjointes des souvenirs qu'on est trop seul à fabriquer.

— J'ai eu beaucoup de torts, dis-je tristement.

— Un seul, à mes yeux. Tu doutes de l'affection de Gene.

Et il ajouta :

— Ça la peine plus que tu n'imagines !

Comme j'aimais cette branche de marronnier ! Dire que bientôt je cesserais de la voir se balancer lentement devant ce ciel de juillet !

Que se passait-il sous ce toit d'ardoise bleue ?

— Antoine !

— Chérie ?

Pourquoi auprès d'eux devenais-je belle ou laide selon leurs yeux, leurs intonations ?

Cette nuit, mon ventre et mes jambes semblaient parfaits dans leur éclat lunaire. Antoine lui-même paraissait taillé dans l'albâtre.

Je l'embrassai de mes doigts, de mes lèvres.

Mais il était bien de chair et son sang battait sous sa tempe, comme le mien après l'amour.

— Gene t'a recherchée après l'école. Elle ignorait ton adresse.

— J'ai disparu assez brusquement, en effet. Je croyais tellement... Je voulais me créer un univers à moi seule...

Je m'arrêtai dans mon élan, convaincue que je n'arriverais pas à éclairer Antoine. Mes mots se videraient de leur sens avant de lui parvenir, comme se décolorent pour moi ceux qu'ils prononcent entre eux.

— Tes retraites me déroutent, dit Antoine avec simplicité.

— Mes carences, tu veux dire ! Mon père et moi n'extériorisions pas nos sentiments. J'ai été élevée dans le silence.

— Comment était-il ?

— Mon père ? Fantastique.

Voilà que je me taisais de nouveau. Cette fois j'en avais conscience, mais impossible de parler de mon père. Impossible.

Une vie entière n'aurait suffi à le décrire et aucun substantif, pas un adjectif... Impossible.

Antoine attendait pourtant, et cela me gênait. Pourquoi n'arrivais-je pas à m'exprimer comme eux? Comme ils savaient remplir les silences d'enluminures pour ne jamais laisser de blanc sur la page de leur journée!

— Tu es marié? fis-je en jouant avec l'anneau qui brillait à son doigt.

— J'ai deux filles, répondit Antoine et nous restâmes un long moment sans parler.

Mais eux, que livraient-ils d'eux-mêmes sinon cette surface admirablement sculptée?

— Ta femme, tu l'aimes?

— Oui.

Un oui net comme une perle véritable. Un oui pur qui fit un trou rond dans mon cœur.

— Je ne sais pas aimer, dis-je, j'aime mal. Peut-être que j'y parviendrai un jour, mais pas demain!

Il se tourna vers moi et m'envahit de son ombre.

«La chaleur d'Antoine vaut le prix ensuite...»

Je me répétais cela en la sentant me gagner pouce par pouce, jusqu'à me métamorphoser en racine qui s'abreuve après une grande soif.

De ces étreintes, nous nous relevâmes vacillants. La lune nous indiquait l'heure. Minuit passé.

— Je vais prendre Gene chez Richard, dit Antoine en enfilant sa chemise à la lavande, qui dans cette nuit blême, avait échangé sa couleur contre le parfum. Toi, reste là, je dirai que tu dors.

— Il faut que je me promène un peu, dis-je.

— Te promener? L'inquiétude donnait à la voix d'Antoine une inflexion rauque que je connaissais déjà.

— J'en ai besoin, Antoine. D'ailleurs en quoi cela te concerne-t-il?

— Rien, rien, fit-il, mais je sentis sa contrariété.

Il alluma une cigarette de son geste fascinant, s'absentant aussitôt.

Voilà!

A peine debout, nous nous faisions face solitairement.

Cette soudaine et parallèle recherche de l'unité après la communion me frappait toujours.

Rencontrerais-je un jour l'homme aux côtés de qui j'aurais envie de rester après l'amour? Existait-il, cet indispensable compagnon de tendresse qui partagerait avec moi le doux sentiment de notre inséparation voulue et réciproque?

Qu'avais-je à désirer brusquement la promenade, l'air frais, et eux cette cigarette obsédante, ces tours en rond dans la chambre comme un oiseau?

Antoine sans alliance, l'aurais-je aimé de plein feu?

126

Ce petit cercle d'or suffisait-il à indiquer mon transport ?

La faille naissait-elle d'ailleurs ?...

Le prisonnier blessé souffrait entre nous. Nous n'en parlions pas, mais nous devions constamment chasser sa présence.

Antoine m'avait rassurée tout à l'heure, en me disant que les ordres étaient donnés.

Lui en voulais-je à présent de cette heure de bonheur volé ?

Oui, puisque je me réjouissais de le voir s'éloigner dans l'allée et disparaître dans le jardin nocturne.

Antoine n'utilisait pas de torche électrique. Il connaissait par cœur chaque détour du chemin.

— Au fond Antoine est très simple, pensais-je et sa présence me manqua un instant.

Je fis quelques pas sur la pelouse, vaste mer de silence et de vide.

Il y avait tant d'étendue autour de moi, au-dessus de ma tête le ciel me sembla si profond, que je fus réduite à une taille minuscule.

Les arbres, la maison aussi, majestueuse et endormie, m'imposaient une loi d'humble recueillement.

Faire mon métier de femme le mieux possible, le mieux possible, le mieux possible...

Je m'assis et aussitôt le contact de l'herbe rase sous mes mains réveilla mes appétits sans mesure.

Ne dévore pas la vie comme ça ! s'exclamait mon père, tu as encore un bout de chemin à faire, gardes-en pour plus tard.

J'entendis le rire de mon père si énorme, soudain, et se cassant d'un coup.

Enfant, je me glissais dans son lit le dimanche, avant l'aube parfois, et je roulais en boule contre lui.

127

Il murmurait un: «Ah! C'est toi!» pâteux et sombrait après avoir passé un bras affectueux autour de mes épaules.

Dix années durant, je n'ai pu retrouver ces moments de chaleur unique et quand cette femme fut partie, j'avais trop grandi pour reprendre ma place.

Était-ce la cause des humeurs de mon père le dimanche matin?

Je me plaisais à le croire.

Comme l'herbe se couvre vite de rosée! Et malgré la tiédeur de l'air, je frissonnai.

Debout, je fus reprise du vertige de l'espace. Tant de ciel, d'infini, de solitude! Mes pas dans le gazon chrouchroutaient.

J'ôtai mes chaussures dont les semelles de bois imprégnées d'eau pesaient. A peine avais-je posé mes pieds nus qu'une bonne fraîcheur me coula dans le sang.

Je courus dans ce vide allégée, aérienne.

J'étais une fille ailée des ténèbres et je dansais sur un tapis vivant.

Par chance la lune se cachait derrière la maison, et je pouvais sans crainte franchir ce néant étoilé ou par bonds silencieux, gagner la nuit des grands arbres.

Rien d'autre n'avait plus d'importance, de volume ou de réalité pour la divinité que j'étais.

Les histoires des vivants ne me touchaient que de loin, même le blessé apaisé de morphine, le doigt d'Antoine emprisonné d'or, les larmes de Gene...

Et mon père, bienheureux, me regardait du haut de ce plafond géant, et je voyais son sourire et ses dents jaunies de tabac.

J'étais à la recherche de mes chaussures, lorsque j'entendis un claquement de porte et des pas lourds sur le gravier, devant la maisonnette. Je crus reconnaître la silhouette de Jean éclairée par la lune dans ce coin du parc.

Comme il allait contourner la maison, une lampe-torche à la main, je l'appelai :

— Monsieur !

Je n'osais avancer pieds nus sur la pierraille coupante.

Je l'appelai encore :

— Monsieur !

Il m'aperçut dans la nuit claire et s'approcha.

— J'ai perdu mes souliers dans la pelouse. Vous avez une lampe...

Je voyais mal son visage, mais il m'effraya. Sa haute stature et son silence réfrigérant démentaient le respect avec lequel il enleva sa casquette en signe de bonsoir.

— Où ?

— Là, je crois.

Il m'intimidait. Ma robe décolletée et soyeuse me fit honte.

Il devait sortir d'un autre cauchemar où mon aspect de folle, cheveux répandus sur les épaules et en quête de mes souliers à minuit dans le jardin, l'intriguait sans doute.

Au lieu de m'aider comme je le lui demandais, il restait devant moi, incrédule et muet.

— Je ne suis pas très sûre de l'endroit où je les ai

abandonnées, murmurai-je, sentant combien mes explications rendaient un son de plus en plus suspect.

— J'ai dû les laisser de ce côté...

Enfin il bougea de mauvaise grâce. Il éclaira vaguement sous le marronnier où l'on ne trouva rien. Plus loin, à droite autour d'un parterre, rien.

— Vous êtes sûre d'avoir laissé vos chaussures ici? demanda Jean en se dressant devant moi.

Il me parut si grand, si large qu'il me cachait entièrement la maison et sa voix n'était pas amène.

— Voyez vous-même, dis-je en lui montrant mon pied nu.

Il grogna, mais ne cessa pas de m'examiner jusqu'à m'en faire perdre contenance. Auprès de cet homme, je retrouvais tout un monde familier, si proche de mon enfance que l'émotion submergea bientôt ma peur.

— Je me suis promenée dans l'herbe...

J'eus un rire idiot, rattrapai un peigne qui se dérobait et mes doigts jouèrent machinalement avec l'écaille tandis que Jean me fixait tout à l'aise.

Je me disais: «C'est un homme qui travaille de ses mains et qui risque sa vie la nuit à vélo. C'est un homme.»

— Où voulez-vous que nous regardions encore? demanda-t-il avec moins de raideur.

— Là, dis-je en indiquant n'importe quel coin de la pelouse.

Je n'avais plus du tout envie qu'il s'en aille. Je le ferais fouiller pendant des heures comme ça, devant mes yeux.

Il balaya l'herbe de sa lampe, puis se tourna vers moi:

— Ces chaussures ne peuvent attendre à demain?

— Elles oui, mais pas moi. Je n'en possède pas d'autres.

Il soupira comme un orgue et soulevant sa casquette, il se gratta la tête. Je ne pouvais voir ses yeux. Une figure si proche, mais inconnue, étrange.

Avait-il apporté de la morphine? Ses mains rudes, faites pour la taille des arbustes et la bêche, soignaient le soldat comment? Antoine lui avait livré la vie d'un homme. Pourtant je ne sais quoi d'imperceptible me donnait confiance.

— Alors? lança-t-il et je sursautai.

— Regardons là-haut.

De dos, il m'était bien connu. Je l'avais regardé couper une haie longuement. Son adresse m'avait plu.

L'âcre odeur qu'il laissait dans son sillage, j'en avais cent fois respiré une toute semblable en cousant les boutons de la veste de travail de mon père.

— Les voilà!... Et il me quitta sans se retourner.

Une déception indicible me saisit. Sa présence remplissait un creux en moi qui redevint subitement douloureux. Je le suivis des yeux. Il contourna la maisonnette et plongea dans la nuit.

Je m'avançai à mon tour dans cette direction. Plus forte que ma raison ou ma crainte, je ressentis le besoin de savoir ce que devenait celui que j'avais soigné.

Je marchai aussi légèrement que je pus pour ne pas faire crisser les graviers et m'arrêtai sous la fenêtre.

Mon oreille tendue ne percevait pas un râle, pas une plainte.

Un silence de mort.

— Il dort grâce à la morphine, pensais-je.

Sans doute Paul était-il sur la route pour prévenir le docteur.

Tout rentrait donc dans l'ordre.

Et jusqu'au retour de Gene et Antoine, je m'installerais à l'intérieur de cette maison où je savais la joie qui m'attendait, dissimulée dans un confort irrésistible.

La porte qui menait dans la pièce où Antoine travaillait était entr'ouverte. Je la poussai. Après avoir vérifié si les volets étaient fermés, je fis de la lumière.

Son domaine entier s'éclaira à mes yeux avides. Tout ce qui en moi, pouvait s'émouvoir, vibrait d'un bonheur insensé.

Le grand piano encore béant me livrait son clavier d'ivoire qu'Antoine avait le don de faire chanter.

Je m'avançai vers le bureau couvert de ses livres, de ses cahiers tels qu'il les avait abandonnés l'après-midi.

Antoine gisait là sous mes mains fébriles. Livres d'histoire, photocopies de manuscrits anciens, atlas de géographie...

Je traversais sans passeport les barrières les plus intimes d'un homme et je découvrais tout un monde, celui à quoi il consacrait le meilleur de lui-même.

Son écriture presque illisible témoignait combien il désirait se garder, se protéger.

Je m'assis où Antoine s'asseyait chaque jour. Ma paume nue caressait le rebord d'acajou avec plus de passion que sa poitrine à lui, une heure auparavant.

Les cahiers s'empilaient, tous pleins de ses griffonages mystérieux.

Plus d'une dizaine !

Antoine écrivait donc vraiment ! Ses recherches existaient ! Elles ne ressortissaient pas du rêve de ce domaine enchanté.

Il y avait là pour des milliers d'heures de travail. Ces cahiers représentaient peut-être la justification de toute sa vie.

Voilà pourquoi il lui fallait un parc silencieux sous ses fenêtres, un jardinier aux doigts verts pour cultiver des fraises, pourquoi il recherchait dans mes bras un peu de quiétude!

Toute cette mise en scène extraordinaire aboutissait très normalement à son œuvre, à ces pages couvertes de notes et de remarques en rouge.

L'une d'elles, la dernière, je m'en souviens. Il l'avait soulignée deux fois, puis écrit dessous: À VÉRIFIER.

«Le Roi Marc fit ouvrer deux cercueils, l'un de calcédoine pour Yseult, l'autre de béryl pour Tristan.»

Dans la marge, au crayon, des mots que je mis longtemps à déchiffrer:

«Calcédoine: pierre fine, sorte d'agate.

Béryl: pierre dont l'émeraude est une variété.»

Dans mes moments d'euphorie, encore aujourd'hui je me redis cette phrase incomparable:

«Le Roi Marc fit ouvrer deux cercueils...»

Il me semblait alors que nous étions à Froidmont depuis des siècles, isolés, enfermés comme eux dans la plus précieuse des agates.

Ils rentrèrent une heure plus tard. Je m'étais endormie sur le sofa et Gene me réveilla.

— Pourquoi n'es-tu pas au lit? Je te croyais fatiguée!

Elle paraissait joyeuse encore toute nimbée de succès. Je ne voyais pas Antoine.

— Tellement fatiguée que je n'ai pas eu le courage de monter, dis-je.

Gene rit et fit un pas de valse.

— Ç'a été une soirée fracassante, dit-elle en se laissant tomber sur le divan à côté de moi. Même Antoine a dansé!

Est-ce que je pâlissais ou n'était-ce qu'une sensation intérieure?

Gene continua à raconter. Elle a toujours raffolé des longues descriptions. Moi, je souffrais comme si Antoine m'avait trahie.

Qu'il ait dansé après m'avoir quittée, me paraissait impossible.

D'ailleurs, où était-il en ce moment?

— Ton oncle danse? répétais-je bêtement, interrompant Gene dans son récit.

Elle me regarda.

Je me détournai. Cette fois, elle ne partagerait pas mon chagrin.

Que comprit-elle à ce qui me tourmentait?

Elle dit en articulant sèchement chaque syllabe:

— Antoine danse à ravir.

134

Puis elle se tut.

Elle saurait toujours mieux que personne me frapper là où j'étais vulnérable.

— Pourquoi n'es-tu pas venue, ajouta-t-elle enfin, il t'aurait fait danser aussi!

Leur logique implacable me rendit l'équilibre. Après tout, de quoi avais-je à me plaindre puisque j'étais invitée? Mais l'image d'Antoine serrant contre lui une jolie femme me refit mal instantanément.

— Qu'est-ce qui te prend?

Gene approcha son visage du mien et me fixa.

— Tu as sommeil ou tu es malheureuse? Quoi?

Gene, adorable Gene! Quel charme dans sa peau dorée par le soleil! Antoine sans la cicatrice.

— Tu es amoureuse de mon oncle? C'est ça?

Elle plongea dans mes yeux et surprit mon secret avant que j'aie songé à m'en cacher.

Son demi-sourire ne s'adressait plus à moi, mais à quelque chose de passé, un vœu ancien.

En classe, Gene parlait beaucoup de son oncle. Il était la coqueluche de ses amies qui se préparaient à l'histoire uniquement pour l'avoir plus tard comme professeur:

— Il n'est plus professeur au musée? demandai-je.

— Si, si. Mais il a interrompu ses cours cette année pour maladie...

Elle souriait d'un air complice et poursuivit:

— Une maladie diplomatique comme tu sais.

C'était donc Antoine ce personnage crispant dont la classe me rebattait les oreilles! Je l'imaginais alors savant et enniaisé de beauté.

Vivrais-je à ce point hors de leurs histoires pour me les rappeler seulement maintenant et faire entre eux le rapprochement si évident?

Il est vrai que Gene avait une si nombreuse famille et que tous étaient éminents à plus d'un titre. Je ne voulais pas associer mon amitié à cette auréole de gloire, mais l'aimer pour elle-même et pour sa grâce naturelle. Ces momies familiales embaumées de renommée, je les haïssais.

Gene le savait si bien qu'elle évitait toujours d'en parler devant moi et le peu que j'en connaissais me venait au hasard d'autres bouches.

— A quoi penses-tu? Laure, est-ce que tu me détestes?

— Tu sais bien que non! fis-je.

— Pour moi, tu es la seule amie qui m'aie vraiment manqué. Notre séparation a été une grande séparation. Maintenant tu ne disparaîtras plus jamais, n'est-ce pas?

Soudain un large rideau tombait. Je vis Gene sous une lumière neuve. Son arc-en-ciel, ses volontés, ses flèches brûlantes, c'était sa façon de m'aimer.

Et sous tant de masques divers, elle vivait vraiment, je n'en doutais plus.

Par quel absurde raisonnement, par quel égocentrisme aveugle m'étais-je attribué le privilège de la sincérité, de la souffrance, des sentiments profonds?

J'étais consternée.

Je manquais à Gene, alors que si je n'avais cessé de me souvenir d'elle, pourtant rien ne me poussait à lui téléphoner ou à lui écrire, moi qui possédais son adresse et le pouvoir de renouer à chaque instant avec elle!

Gene, à l'école, qui brillait devant nos compagnes et paraissait ignorer ma présence, répondait donc à mon affection?

Je ne m'en étais pas aperçue.

Comment ai-je été si injuste? Pourquoi?

Un énorme pourquoi s'abattit sur moi, brouillant de son doute implacable tout un classement que j'avais coutume de consulter rapidement.

Il me faudrait repenser notre adolescence. Repenser Gene qui grandissait, grandissait au milieu des décombres, fragments de moi-même qui gisaient désespérément épars.

— Tu aimes ta femme?

— Oui.

Ce oui trop parfait m'assaillait par moments, me poignardait.

Sa qualité même éloignait Antoine, le rendait inaccessible et d'autant plus désirable.

Un fossé, un gouffre, une vallée totale. Et sur l'autre versant, à des milles, sa voix.

— Oui.

— Oui.

— Oui.

J'ai beau crier « non » en moi, comme une folle qui nie sa folie, un enfant sa jeunesse, un malade la mort, mes « non » n'effaceront jamais la pureté étincelante de ce « oui ».

Pourquoi ma foi, mon besoin d'aimer, de me donner à un homme, s'accrochent-ils soudain à celui qui ne m'appartiendra jamais?

Mon Dieu, vous êtes injuste!

Pourquoi avez-vous placé sur ma route cet Antoine trop beau pour que je n'y succombe? Et vous le saviez!

Faut-il toujours payer la joie à prix de larmes et de sang?

Tout se paye.

Je paye mes vacances, goutte à goutte.

La marée qui se retire abandonne aussi sur le sable ridé les algues et les conques vides.

— Nous payons tous! avait dit Antoine.

Il paye, lui aussi. Ses traits et les mèches blanches de ses cheveux me l'affirment.

J'ai été sans yeux pour ignorer notre commune fragilité.

La guerre, les privations et la mort de mon père m'avaient mûrie, peut-être, mais depuis deux jours, tant de portes venaient de s'ouvrir en moi!

Pour la première fois je me posai la question:

— Est-ce que je suis une femme? A quel âge devient-on une femme? Après quels événements? Quelles joies? Quelles peines?

Serais-je jamais une femme?

Et regardant Gene près de moi, tendre et silencieuse, je me demandai si de nous deux, elle n'était pas bien plus près d'en devenir une...

Où se trouvait Antoine ? Je croyais le deviner. Qu'avait-il décidé ? Quel sort attendait le prisonnier ? Souffrait-il ou bien lui avait-on injecté la morphine qui endort ?

Je pensais à lui si intensément qu'il me semblait impossible que Gene n'y pensât pas aussi. Que connaissait-elle de leurs projets ? Ou bien se tenait-elle volontairement en retrait ?

Nous ne parlions pas, mais nous ne montions pas non plus nous coucher. Pourtant je mourais de fatigue.

Si mon corps était immobile, mon esprit trépignait. Gene comme moi ne bougeait pas un doigt et nous entendions le faible tic-tac de l'horloge.

Mes lèvres reformaient indéfiniment la même question que je n'exprimais pas.

Chaque minute oppressait plus que la précédente, et les minutes s'éternisaient de porter pareil poids sans avancer.

Mon sentiment d'impuissance atteignait un sommet où mon sang se figeait.

Tout attendait, en moi, en dehors de moi. Gene aussi attendait, enfoncée dans un fauteuil, engloutie plutôt. Elle ressemblait à une larve qui guette le printemps.

La maison se retenait de respirer pour mieux tendre l'oreille au grand silence de l'angoisse.

Le temps avait pris possession de nous, minutieusement.

Mes pensées une à une s'arrêtèrent, puis blanchirent et

ressemblèrent bientôt à des ossements séchés.

La sorcellerie existait donc dans ce domaine ! Rien ne s'y passait comme ailleurs.

Allions-nous plonger dans un sommeil de cent ans ?

Mon souvenir lui-même s'engourdit aujourd'hui à évoquer ces heures, et pour les décrire, il me manque des mots assez paralysés.

Comme si ma mémoire prisonnière dans une toile toute semblable à Froidmont, avait été piquée en son ventre par une épeire invisible.

Le lendemain matin il pleuvait. Gene me prêta un vieil imperméable d'homme que je jetai sur mes épaules sans enfiler les manches. Elle-même portait un ciré et un capuchon assorti.

— Remarque, je puis aller seule à la ferme ! Moi ça me plaît, mais il pleut si fort... me dit-elle mollement en ouvrant le volet du salon.

Du balcon, l'eau tombait avec fracas. La pierre exhalait une odeur particulière qui me rappelait mon enfance, lorsque je jouais à la fenêtre à regarder les bulles se former sur le grès de la tablette.

Devant la pelouse, le spectacle m'arrêta. Le vert du jardin, j'en ignorais encore sa puissance. Il me sembla que, jusqu'ici, jamais je n'avais vu de vert. Celui-ci touchait aux profondeurs marines.

Le grand bruit régulier de la pluie, comme celui des vagues, il fallait fixer son attention pour l'entendre, tant il envahissait tout le corps.

Je courus pour rattraper Gene qui descendait l'allée de son long pas souple. Elle baissait la tête sous l'averse. L'eau ruisselait des hêtres, éclaboussait les jambes en s'écrasant sur le sol.

Pendant le parcours jusqu'à la grille, je fus tout entière de pluie. Le gazon renaissait lui aussi, et les roses des parterres se perlaient en tremblant sur leurs hautes tiges.

Hors du parc, un nouvel éblouissement m'attendait. La lumière !

Une lumière saisissante resplendissait dans un ciel d'une blancheur uniforme. Les champs, les arbres se détachaient hallucinants de précision. Les lointains, en revanche, se noyaient dans une brume pâle, si phosphorescente que la clarté semblait monter de la terre.

Je marchais à côté de Gene en sautillant pour suivre son pas.

Nos semelles chuintaient en se décollant de la boue. Nous gravissions lentement Froidmont par un chemin sinueux. Un troupeau de moutons qui rentrait nous croisa dans un vacarme de bêlements, de clochettes et d'aboiements des chiens.

Le berger impassible passa, le visage dégoulinant. Ses traits étaient creusés dans une espèce d'argile sombre.

Sous cette pluie, la campagne me parut plus belle, et de loin, que dans le soleil des jours précédents.

— J'espère qu'il y aura du lait et de la crème, dit Gene en se tournant vers moi, ce serait délicieux les prunes avec de la crème.

J'avalai ma salive. Nous n'avions pas encore déjeuné et une fois de plus la faim occupa toutes mes pensées.

— Antoine a travaillé jusqu'à sept heures ce matin. Il se couchait comme je m'éveillais. Je l'ai appelé. Tu aurais dû voir sa tête!

— Travaillé?

En un éclair je revis le blessé et la chambre.

— Ses recherches. Tu as déjà oublié? Les origines de Tristan...

— Je sais. Il a écrit toute la nuit?

— Le bureau doit être dans un bel état! Il a fumé sans arrêt. Ah! Oui, fais-moi penser à acheter des cigarettes. Tu verras l'épicerie-tabac! Marrant! On y vend de tout.

Je songeais à Antoine écrivan Tristan pendant cette nuit d'attente. Sans doute était-il incapable de dormir! A-t-il pu vraiment travailler ou bien guettait-il l'arrivée du docteur?

Le chemin se creusait, puis redescendait droit vers la rivière que nous avions longée l'autre après-midi. Elle était bordée de saules dont les feuillages argentés s'arquaient sous le poids de l'eau.

J'entendais Maria :

— Au printemps, c'est tout jaune de populages! Vous devriez venir au printemps!

Reviendrai-je jamais, et à quelle saison? Je le souhaitai dans une brève prière :

— Mon Dieu, faites que je revienne au printemps!

Dans les prairies détrempées, les vaches s'étaient couchées résignées et patientes.

— A-t-on des nouvelles du blessé? dis-je après un silence.

— Antoine a téléphoné hier de chez Richard pour toucher le docteur. On ne répondait pas. Il a essayé plusieurs fois.

— Aucun médecin n'est venu?

— Je te dis qu'il ne répondait pas. Antoine téléphonera tout à l'heure à l'hôpital. Mais c'est plus dangereux!

— Tout à l'heure seulement?

Je venais de comprendre combien j'avais été dupe.

— Gene!

— Je te le dis! lança-t-elle d'une voix pointue où perçait l'agacement.

— Et on a laissé le blessé dans…

Je ne pouvais pas encore le croire.

— Mais il va mourir alors!

Et comme elle ne bronchait pas, je répétai avec force :

— Il va mourir! On ne peut pas le laisser mourir!

Gene marchait à si grandes enjambées que je la suivais avec peine.

Un filet d'eau se coula dans le col de mon manteau et roula le long de mon dos, désagréablement.

— C'est là, dit Gene en indiquant au-delà d'une route en gros pavés ronds, un hameau.

Devant chaque maison le fumier entassé répandait une mare brunâtre. L'endroit paraissait désert. Je m'arrêtai.

— C'est là! et comme je ne bougeais pas, elle insista. Tu viens?

— Je t'attendrai ici.

— Dans cette pluie? Elle parlait avec douceur.

— Tu ne resteras pas une heure?

— Non. Mais pourquoi ne pas m'accompagner?

Elle m'observait.

— Va!

Alors elle me quitta. Une sorte de sommeil me fermait les yeux et m'absentait progressivement.

Allais-je déjà resombrer dans mon néant habituel, vide au milieu de la guerre, faux rêve, cauchemar à demi endormi?

Le ciel n'était plus blanc, mais gris.

Une charrette débouchait d'une ruelle et passa dans la flaque jaunâtre.

Un gros cheval brabançon avançait tristement, sourd aux cris du paysan.

Cette lucidité impitoyable qui venait grapiller mes joies jusqu'à me les dérober complètement, je la voyais grandir en moi.

Antoine, Gene, Froidmont perdaient peu à peu de leur magie comme un arbre ses feuilles, imperceptiblement, inéluctablement.

A partir de cette minute chaque pensée nouvelle fut un coup de vent dans l'automne de mon saule.

Et je pouvais, avec une sûreté cruelle, suivre des yeux la chute de chaque illusion.

Je savais qu'il était vain de courir en moi-même, de m'affoler ou d'essayer de voiler cette vision crue d'un monde déshabillé.

Ni eux ni moi n'y pouvions rien.

Mais si vite! Si tôt finies mes vacances!

Cette fois-ci j'aurais tant aimé prolonger mon oubli.

Devrais-je assister à tout le défilé, le réveil, le retour à ce que je croyais enfoui, à la ville, au magasin?...

Une fatigue plus lourde que toutes celles vécues jusqu'ici vint gorger mon sang.

J'étais rivée au sol, mes souliers buvaient l'eau qui pénétrait par des rigoles de misère et de guerre.

Je toussai. Mon manteau commençait à glacer mon corps inerte.

Ce n'était plus Gene que j'attendais dans ce hameau immobile, mais quelque chose de vague et d'affreux comme une face sans visage.

Quand Gene revint portant le cruchon de crème, son sourire en me voyant disparut.

— Qu'est-ce qui te prend? me demanda-t-elle effrayée, tu es malade?

Le petit déjeuner fut servi dans une pièce solennelle que je n'avais pas encore vue. On nous avait rassemblés tous trois au bout de la table trop longue.

Salle à manger froide à s'enrhumer. D'ailleurs je m'enrhumais.

Je ressentais le vague à l'âme propre à mes débuts de coryza et qui m'enivraient légèrement. Les désagréments suivraient, mais au commencement, je vivais mieux, l'esprit plus alerte, plus objectif, comme planant au-dessus des événements que je percevais au centuple.

Dans cette lumière tamisée de pluie, Gene paraissait encore plus hâlée. On avait fermé les fenêtres et une odeur de moisi se mêlait à la cire et à la lavande d'Antoine.

Il mangeait à peine malgré la crème et les prunes. Deux cernes noirs lui barraient la figure.

— J'ai trop fumé! La gorge me brûle!

Mon tison se logeait au fond de ma poitrine, douloureuse pointe de feu.

— C'est dommage, dit Gene, cette crème on a failli ne pas en avoir. Les Wygand l'avaient retenue. J'ai parlementé jusqu'à ce qu'on me la laisse…

— Tu es gentille! fit Antoine en posant sa main sur celle de Gene.

Son regard restait cependant lointain. Son œil gauche était gonflé et la cicatrice rosissait comme une plaie récente.

— Je n'ai pas faim, j'ai trop fumé!

— Dommage, répéta Gene, c'était surtout pour toi, cette crème. Je sais comme tu l'aimes!

Il lui souriait, lui envoyait un baiser à travers la table, mais je le sentais absent.

— Tu as terminé ton livre?

— Quasiment.

Il ne paraissait pas heureux. Chaque fois qu'il se taisait, le lent et lourd balancier de l'horloge géante se faisait entendre. Pourquoi la lenteur est-elle souvent moqueuse? En moi, un grelot frétillait sans arrêt. J'en tremblais.

Gene me tendit le plat.

— Reprends-en, elle est bonne!

Et à Antoine:

— Tu as dormi?

— Une heure. Suffisamment. Tantôt je ferai la sieste.

Dehors une rafale vint courber les branches, les feuillages rutilants bougeaient, poussés par le vent intermittent. Seule la pluie continuait de tomber avec régularité.

— Ça a commencé vers six heures, dit Antoine. Jusquelà, le calme était incroyable.

Sa lassitude me parut forcée. Quelque chose de feint troublait l'eau tranquille de ses yeux.

J'éternuai et Gene me lança en riant:

— A tes souhaits!

Antoine proposa de me préparer un vin chaud. je refusai.

— Comme elle est pâle! s'exclama Gene.

Ma pâleur était surtout intérieure.

Laissait-on vraiment le blessé crever comme une bête?

La fadeur des prunes cuites m'écœura. Je repoussai instinctivement mon assiette.

Gene était à la cuisine, car elle avait beau sonner, personne ne venait. Maria travaillait à l'étage. Je l'entendais remuer une chaise.

Antoine et moi restés seuls, attendions dans le silence.

— Antoine, que se passe-t-il? demandai-je enfin.

— Que veux-tu dire?

Il me fixa et je reconnus à peine l'homme aimé de la nuit.

Son air ironique, c'était Gene qui me raillait. Les yeux gris me touchaient parce que le tendre écho de la veille chantait encore en moi. Mais ce regard?

— Que veux-tu dire? répéta Antoine en souriant de façon indéfinissable.

— Vous avez téléphoné au docteur, Gene m'a raconté...

— Oui. Il n'était pas chez lui.

— Vous avez laissé un message pour qu'il vienne?

— Il n'y avait personne.

— Comment se porte le prisonnier?

Antoine détourna la tête.

— Vous l'avez revu? insistais-je.

— Jean et Paul étaient là. Ça suffit, non?

La voix aussi de Gene qui s'aiguise de colère.

Elle revint rayonnante, portant une cafetière en argent ciselé, une cafetière d'époque.

Mon attention s'attacha à cet objet brillant dont je me mis à suivre les dessins. Une intuition étrange m'invitait à ne pas écouter Gene, mais aussitôt je tendis l'oreille à ses paroles.

— Ça y est, murmura-t-elle, tout est arrangé. J'ai vu Jean.

Antoine ne réagissait pas, alors elle poursuivit:

— Ils sont parvenus à l'enterrer avant le jour...

— Je sais, coupa Antoine.

— Eh bien! c'était la seule solution, soupira Gene avec satisfaction en versant le café.

Les gestes réconfortants et rituels du petit déjeuner, le café noir fumant dans les tasses, plus rien n'avait de sens à mes yeux.

Une lézarde déchira ma paix, rouvrant une blessure à laquelle j'avais survécu. Tout le deuil de mon père me

149

retombait sur les épaules avec ici, en plus, la douleur de n'avoir pas agi.

— Tu aurais pu m'en parler, puisque tu savais! ajouta Gene en déposant la cafetière. Ce n'était pas vraiment un reproche. Une remarque tout au plus.

Je n'avais rien dit pourtant, mais Antoine me saisit le bras et chuchota doucement :

— ... Pas d'autre solution, mon petit.

J'arrachai ma main. Un besoin me prit de casser cette cafetière de valeur, de casser la vaisselle, la glace de la cheminée où évoluait notre trio dans un abominable confort!

— Il ne souffre plus, ajouta Antoine pour calmer mon silence plein de rage.

— Ses papiers, ses vêtements? interrogea Gene froidement.

— Tout a été brûlé. Aucune trace.

Antoine se leva, renversa sa chaise et la ramassa tranquillement.

Gene le suivit. Ils pénétrèrent dans le salon où je les entendis échanger des mots sur un ton égal.

Personne ne fit attention à moi. Ils froissèrent du papier, craquèrent des allumettes. Gene prononça d'autres mots paisibles : bûcher, bois sec...

J'entendis soudain le feu dans l'âtre. Je n'avais pas bougé.

Ils ont brûlé tout ce qui faisait de cet homme un soldat, un Allemand, un ennemi.

Comment s'appelait-il? Car il s'agissait bien d'un homme avant tout!

Mon hébétude se prolongeait, me menant vertigineusement d'une rive à l'autre, du malaise physique proche de la grippe à une certitude parfaite, droite comme une décision.

Je quittai cette salle à manger funeste.

Les grandes flammes de la cheminée éclairaient tout le

salon dégageant une chaleur irrésistible.

Gene et Antoine étaient assis côte à côte sur le divan et fixaient le feu en silence.

Je m'assis et comme eux, je me laissai fasciner par le jeu rouge et or.

Un bien-être profond anéantit en moi tout ce qui se heurtait.

Ma révolte fondit, assiégée par une ardeur qui s'emparait de tout mon corps.

Une fois de plus je sentis les effets de la chaleur sur mon âme instable. Rien n'avait changé pourtant, sauf en moi cette volonté qui mollissait.

— Alors, tu as terminé Tristan! fit Gene comme un lecteur qui ouvre un livre neuf.

— Le premier jet en tout cas. A présent ce sera du travail de routine... Je n'ai jamais rien écrit d'aussi bon, dit-il comme s'adressant à soi-même.

Malgré le bois qui crépitait bruyamment, je saisissais les moindres fluctuations de sa voix, sensibilisée plus que je ne l'aurais voulu.

Ils formaient un couple sur la soie grise du canapé, demi-dieux, héros de marbre, idoles fraternelles...

Cette lumière vacillante soulignait davantage leur ressemblance presque inhumaine.

— J'ai fait une découverte sensationnelle à l'aube...

Antoine me regardait. Il s'adressait directement à moi. Je le retrouvais, comme le premier matin de mon arrivée, grand seigneur.

— J'aimerais vous lire ce passage.

Il songeait. Ses beaux yeux gris reflétaient les flammes orange. Mon admiration pour eux n'avait jamais été plus vive, mais jamais aussi je ne m'étais sentie plus étrangère.

— D'ailleurs, après la guerre, j'irai vérifier ça en Cornouailles.

Devant le feu, le silence ne pèse pas. Sa vie à lui remplit

la nôtre. Tous nos sens lui sont voués.

On regarde un feu avec le visage, les mains, tout le corps.

On l'écoute, on lui appartient et il dévore même nos pensées.

— C'est vrai qu'il est mort? demandai-je brusquement.

Tous deux se tournèrent vers moi. J'avais prononcé des mots choquants, mal élevés. Il y a de ces choses sur lesquelles il ne convient pas d'insister. Enfin Antoine me répondit sans cesser de fixer l'âtre.

— Oui.

Un oui à peine audible, du bout des lèvres. Un oui contre son cœur.

— Comme ça? Tout seul?

Je savais que je les gênais, mais cela me devenait vraiment égal.

— La fatalité s'y est mise, mon petit.

Ah! qu'Antoine pouvait m'endormir de douceur!

— Cette nuit j'ai téléphoné au docteur. Personne. Je voulais le rappeler ce matin à l'hôpital...

— Gene m'a raconté.

— Septicémie, je crois, foudroyante. La fatalité a décidé pour nous. Jean est venu m'annoncer que tout était fini. Il devait être cinq heures et demie. L'Allemand reposait déjà dans le bois.

— Et ensuite vous avez achevé votre livre!

Mon ton sarcastique brisa le charme. Antoine détourna la tête.

Ce fut Gene qui s'opposa avec violence:

— En tout cas, intervint-elle, que tu approuves ou non Antoine, je te demande ta parole. Jamais un mot sur tout ceci.

Et comme je la regardais, elle dit d'une voix hostile:

— Jure-le...

Antoine l'arrêta.

— Laure ne parlera pas ; tu le sais.

— Qu'aurais-tu fait, toi à leur place ? Dis-le ! Je t'écoute !

Elle dressait la tête pour un combat et le feu lui envoyait des ondes sanglantes dans les yeux.

Antoine posa sa main à nouveau sur le bras de Gene.

— Calme ! Calme ! Laure nous comprend, n'est-ce pas Laure ? Il n'y avait pas de bonne solution. Aucune. Le sort s'est interposé.

Je glissais déjà. Mon hochement de tête approbateur mentait.

Son pouvoir sur moi était immense et tout mon être n'attendait que ses caresses pour l'aimer.

Cependant la lucidité du matin continuait, en second plan, de m'éclairer un Antoine séduisant, trop sûr de lui et que je repoussais en même temps.

— Maintenant nous ne parlerons plus de ça. Oublions cette nuit. Je vais vous lire des pages de mon Tristan... Un passage capital...

— Il faut que je parte, fis-je en me levant, mes vacances sont finies.

Il ne pleuvait plus, mais une nuée tiède montait des champs.

A travers le ciel nacré se déployait un voile d'or. Avant midi le soleil aurait vaincu ces nuages.

Ma valise sous le bras, je gravissais le chemin qui conduisait au village.

Je sentais Froidmont dans mon dos.

Les adieux m'avaient ébranlée. Antoine surtout qui m'embrassa dans le hall. Il tenta de me retenir. Je cédai presque.

Son regret, son chagrin lui rendaient l'expression trop aimée sur son visage d'enfant vulnérable.

— C'est injuste, murmurait-il en me serrant contre lui, je te comprends, mais c'est injuste...

Et comme j'insistais pour partir seule, il me fit promettre...

Mais quelle promesse ne s'oublie en amour?

Gene, elle, m'en voulait.

Je quittai donc facilement sa grâce offensée. D'ailleurs mes propres mots de gratitude sonnaient faux entre nous.

Je marchais à pas lents, sans oser me retourner vers ce domaine parfumé, désormais irrespirable.

Je croyais fuir Gene, Antoine, cette mort injuste.

J'étouffais d'inaction dans ce royaume du bonheur. Ma vraie vie m'attendait au-delà de cette colline, au-delà de cette région si belle.

Une vie que je connaissais trop bien et que j'avais haïe.

Mais que fuyais-je en réalité, ce matin-là?

Lâche pour lâche, j'abandonnais Antoine à son Tristan, et Gene à son tennis.

Ils continueraient sans moi à manger des prunes à la crème, à boire le porto du soir, à rire en attendant la nuit et le passage des bombardiers.

Et moi? Ce que me réservaient les jours à venir me serra le cœur.

Alors je pivotai sur moi-même et contemplai l'aval.

Que j'étais bête! Où allais-je. Et pourquoi?

Le grand parc privé, le toit d'ardoises, les feuillages ravivèrent un sentiment de tendresse douloureuse. Je ne pouvais plus revenir sur mes pas et pourtant...

Mais mon regard s'arrêta sur le bois et s'y attarda.

Avais-je enfin compris que celui qui ne prend pas parti consent au pire?

N'était-ce pas ma propre lâcheté avec laquelle je rompais et ce bonheur que j'avais voulu à tout prix, ces vacances dérobées au grand partage de la guerre?

Non, vraiment je m'en allais sans regret, car en fin de compte qu'est-ce qui fait le plus mal sinon de se sentir étranger?

Le regard du blessé, sa peur de ne pas arriver à se faire comprendre!

Mon père qui s'agrippait à ma main durant son agonie craignait-il autre chose que de glisser vers l'inconnu et de perdre cette vie familière, ses misères bien à lui?

Moi aussi je regagnais mon univers, mes problèmes, mon hiver.

De toute façon, ces deux journées magiques, je les devais à Gene, à sa gentillesse, à son amitié.

Un flot d'amour m'emplit... Je lui écrirais une lettre très longue et pleine...

J'arrivais au sommet de la côte d'où le village m'apparut.

Là, je fis un effort pour marcher sans me retourner et laisser derrière moi ce lieu ensorcelé.

Je savais ce que je risquais, car déjà une foule de souvenirs me rappelaient vers ces deux êtres, assis sur le divan, et qui regardaient l'âtre comme des jumeaux millénaires.

*

Maud Frère, en 1976.
(Photo Nicole Hellyn)

Les documents qui suivent ont été tirés du téléfilm Les Jumeaux
millénaires *réalisé par Jean-Pierre Berckmans, en 1974, pour la
R.T.B. Adaptation: Jacques De Decker et Jean-Pierre
Berckmans.
On retrouve, dans les rôles principaux, Sophie Foucault
(Laure), Sonia Schoonejans (Gene) et Henri Serre (Antoine).
(Photos Gilbert Bremans).*

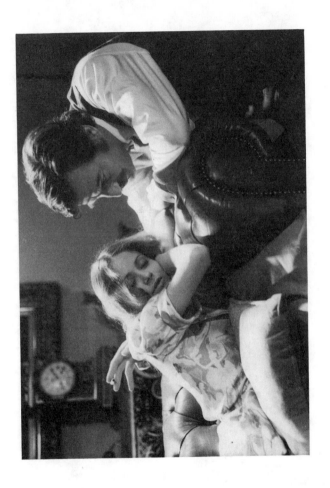

LECTURE

de Marie-France RENARD
Docteur en Philosophie et Lettres

« Romancière de la fragilité et du bonheur d'être », ainsi que la nomme J. De Decker (*Le Soir,* 19.10.79), Maud Frère laisse une œuvre importante (neufs romans publiés chez Gallimard, l'espace d'une quinzaine d'années, de 1956 à 1972), profondément ancrée dans la réalité belge de l'après-guerre, que ce soit à la campagne, en Gaume ou en Brabant, à Bruxelles, dans les rues de Saint-Gilles, ou sur la côte, à Knokke, au climat rude et changeant ou bien encore en Brabant wallon...

Venue à la littérature vers l'âge de trente ans, Maud Frère a trouvé, dès *Vacances secrètes,* un ton, un style, un registre de thèmes qui sont restés la marque propre de son écriture. Son art « d'exprimer légèrement les choses graves », que la critique lui reconnaît volontiers, l'amène à préférer la brièveté (des phrases, des paragraphes, des chapitres), la formule lapidaire, l'ellipse ou le raccourci qui suggèrent sans jamais démontrer. Ses personnages, elle aime les saisir au sortir de l'adolescence (parfois même plus tôt comme la petite Anne de treize ans — *L'Herbe à moi* — ou Jeannot et ses dix ans frondeurs — *La Grenouille*), dans cet ardent apprentissage, parfois si délicat des autres et d'eux-mêmes quand l'amour illumine et déchire *(La Délice),* quand la mort donne à toute chose un goût d'amertume infinie *(Guido, L'Ange aveugle).*

Au fil des années et des romans, le culte sensuel que Maud Frère voue à la vie se voit de plus en plus souvent traversé par une sourde mélancolie qui repère la faille, inlassablement, et s'abîme dans l'insoutenable fragilité des êtres *(Le Temps d'une carte postale, L'Ange aveugle)*. Reprenant tout en les dramatisant les principaux thèmes de *La Délice* (ce titre, superbe, vient d'une poésie de L. Wouters : «La délice en sera meilleure / Avec du sable entre les dents»), *Les Jumeaux millénaires* se trouve à ce moment de l'œuvre où le ton s'est assourdi, ainsi que l'a repéré M. Pierson-Piérard : «Avec *Les Jumeaux millénaires,* nous abordons un genre nouveau ; *Les Jumeaux millénaires* est un livre grave. L'humour n'y a aucune place[1].» Histoire d'une profonde désillusion, ce roman, qui parle d'amour, de mort et de guerre, se veut également une réflexion douce-amère sur l'être et le paraître, bien dans la ligne des vers d'O. Paz, mis en exergue : «La vie, quand fut-elle vraiment nôtre ? / Quand sommes-nous vraiment ce que nous sommes ?»

Si les deux derniers romans continuent de déployer les rouages complexes de l'incommunicabilité, celle-ci se trouve quelque peu contrebalancée par la joie qu'offre aux héroïnes — Claire et Agnès — leur métier d'écrire. L'amour reste néanmoins leur principale préoccupation, comme l'avoue sans détours Agnès dans *Des Nuits aventureuses :*

> *Que sait-on de l'amour ?*
>
> *Amour est le plus beau mot qui existe. Il peut tout signifier sans perdre son mystère. Il est bon qu'il soit tout à la fois, la tendresse, le chant d'un oiseau, le temps des vacances, le travail et la paix.*
>
> *Il peut porter un nom d'enfant ou celui d'un amant.*
>
> *J'aime être aimée.*
>
> *Oublier, me souvenir, oublier encore pour ressentir davantage le trouble d'aimer ensuite.*
>
> *J'ai vécu pour l'amour toute ma vie* (p. 14).

Ne serait-ce pas le dernier message de Maud Frère ?

Une histoire de vie et de mort

Les Jumeaux millénaires emprunte la forme du voyage : la narratrice, Laure, quitte Bruxelles en tramway pour aller passer les vacances chez une amie de lycée, dans le Brabant wallon. Trois jours plus tard, elle revient en ville. Le trajet d'aller-retour qui semble commandé par l'obscure vérité émanant des deux lieux sert, en outre, de support à une profonde modification intérieure de la jeune femme. Cette évocation du roman suffit à suggérer combien celui-ci illustre différents thèmes et genres : roman psychologique, roman d'aventures ou d'initiation, description de l'adolescence, histoire d'amour. L'étude qui suit s'emploiera à tirer ces nombreux fils pour mettre en lumière comment se construit la fiction et s'organisent les contenus.

REPÉRAGES

On pourrait qualifier le récit des *Jumeaux millénaires* d'autodiégétique[2] puisque la fonction narrative y est assumée par l'héroïne narratrice. Celle-ci diffuse toute l'information à partir de son propre point de vue et ne laisse percevoir que ce qu'autorisent sa situation, sa perception du monde, son intelligence des autres et d'elle-même : ainsi, par exemple, se plaît-elle à structurer sa représentation des lieux et des personnages selon un système d'oppositions et de parallélismes qui, pour elle, fait sens et trahit dès lors son idéologie ; le « mode » de discours choisi est donc celui de la « focalisation interne »[3].

Une telle représentation narrative sert remarquablement le propos du roman qui est de montrer un être en proie à l'enchantement d'un lieu ; ce dernier, décrit avec minutie, devient en quelque sorte un protagoniste réel, quasi au détriment de la narratrice qui, elle-même, ne se décrit jamais (fidèle en cela aux lois de la focalisation interne) et se borne à s'éprouver en tant que corps travaillé par un espace.

Les lieux

Il va sans dire que la ville diffère de la campagne. Ce n'est toutefois pas à soutenir ce type d'évidence que se plaît la narratrice au cours de son voyage vers le Brabant; ce qui organise ses descriptions de lieux, ce sont plutôt des oppositions purement imaginaires — dont l'arbitraire ne lui échappe d'ailleurs pas — et qui, d'entrée de jeu, viennent subtilement exprimer son désir d'ériger, face à un espace maléfique, un autre, bénéfique, cette fois. Ainsi décide-t-elle d'irrémédiablement condamner Bruxelles au même événement historique (la guerre), à une seule saison (l'hiver), au même moment (la nuit), alors que le domaine de Froidmont, cet «îlot au creux de la vallée, où la guerre n'a pas pénétré» (p. 78), lui semble vivre un éternel été aux jours lumineux:

> *Pourquoi, dans ma mémoire, la guerre c'est toujours l'hiver, le froid, le noir? Il a fait jour, pourtant, autant que nuit, et après les glaces et la bise, venait chaque fois le printemps. Cette sortie de la ville, je ne puis que la revoir dans une aube givrée. Quelques heures avaient-elles suffi à faire gonfler et mûrir les bourgeons (...)?*
> *Mon arrivée à Froidmont, je la ressens comme (...) un soudain été dans l'hiver* (p. 17).

En quittant la capitale, Laure abandonne donc un monde sombre et hostile où pèse l'humble contingence du travail quotidien,

> *Tout est tellement compliqué! Le ménage, le ravitaillement, le travail et mes études en plus* (p. 33).

pour se réfugier, le temps des vacances,

> *La sieste! L'inoccupation. Ici j'apprendrai à conjuguer: je m'inocuppe* (p. 28).

dans un univers qui, par contraste, lui paraît presque frappé d'irréalité ; la «féerie» de Froidmont, ce lieu «ensorcelé», la maison «sorcière», le château «enchanté», la chambre «qui ressemble à un livre d'images» ; toutes ses comparaisons ou ses métaphores s'emploient à traduire un dépaysement d'enfant émerveillé face à son lieu d'élection. «Le mystère qui passe sans bruit dans le vent léger réveille en moi des élans d'enfance», avoue-t-elle...

Les personnages

Cette dialectique des lieux en sous-tend par ailleurs une autre : celle des personnages qui, à l'instar des portraits de la Renaissance italienne, apparaissent, dans ce roman, comme essentiellement liés à un espace particulier. Appartenance déterminante puisque c'est elle qui, aux yeux de la narratrice, explique la spécificité des traits de caractère de chacun.

Laure, par exemple, se reconnaît pur produit de la ville,

> *Depuis ma naissance, je vis dans le bruit des quartiers*
> *surpeuplés, les cris, les radios indiscrètes, les chasses d'eau,*
> *les vacances à la mer dans les foules d'août* (p. 29).

tandis qu'elle ne prendra véritablement conscience de la vérité de son amie Gene qu'après avoir découvert le lieu de vie de celle-ci :

> – *Je comprends tout, maintenant, lui dis-je à mi-voix pour*
> *ne pas troubler le beau calme du jardin.*
> – *Tu comprends ?*
> – *Ton sourire à l'école, ta lumière. Tu ressembles à tout*
> *ceci. Je me demandais souvent pourquoi tu étais si...*
> (p. 22).

Et Gene de participer de «l'irréalité» du domaine de Froidmont («elle s'élève comme un oiseau de paradis dans le château de la Comtesse de Ségur») et de témoigner par là de cette richesse qui permet raffinement et beauté mais ne garde pas d'une certaine superficialité à la limite, parfois, de l'indifférence... Face à cette jolie fille nantie, Laure ne peut que s'éprouver fragile dans sa pauvreté, déchirée dans ses problèmes quotidiens, douloureuse dans son état d'orpheline[4] :

> *Jamais la distance entre nous n'a été aussi grande qu'à la minute où j'ai dû leur faire face dans ma robe noire, ma meilleure (...). Est-ce qu'en classe, chaque matin, Gene remarquait les bribes de misère que j'apportais* (p. 25) ?

> *A chaque plaisir, je connaissais vite le revers, à chaque bon moment, la lutte qu'il m'en coûtait* (p. 115).

> *Mon père aurait dû connaître ça (la lumière de Froidmont) fût-ce une minute ! Lui n'est jamais sorti de la nuit. Moi, je bats encore des paupières (...). Est-ce que nous ne vivions pas, mon père et moi, tournés vers l'intérieur de soi, veillant seulement à nourrir un peu de chaleur ?* (p. 24).

On le voit, dans l'esprit de la jeune fille, l'isolement, le silence, la mélancolie s'avèrent nettement liés à la noirceur de la ville, à son absence de beauté. Mais si les problèmes liés à cette vie difficile l'amènent, d'abord, à idéaliser Froidmont, elle redécouvrira ensuite combien, pour elle, les sentiments profonds restent, malgré tout, le privilège de la souffrance. Cruel dilemme de l'être et du paraître.

Personnages emblématiques de mondes radicalement opposés, les deux amies vont ainsi s'éprouver, tout au long du roman, dans leurs différences essentielles ; celles-ci vont toutefois trouver une résonance particulière du fait de la présence d'un troisième personnage, Antoine, le jeune oncle de Gene.

Parallélismes

Les vivants : les jumeaux.

Gene qui se dit « agacée » par son père — insupportable à la campagne[5] — avoue sans détour y aimer vivre avec son oncle ;

étrange relation, apparemment lisse et harmonieuse qui sera pour Laure une source infinie d'étonnement.

Habitant du domaine de Froidmont, Antoine participe, lui aussi, à part entière, des vertus du lieu ; mais ce qui retient le plus volontiers l'attention descriptive de la narratrice, c'est l'étonnante ressemblance qui existe entre lui et sa nièce :

> *Ils sont là tous les deux, beaux et identiques sous leur masque racé* (p. 25).
>
> *Des yeux gris, proches de ceux de Gene par l'expression, l'ironie* (p. 29).
>
> *Pourquoi, comme son oncle, Gene n'a-t-elle jamais l'air de vivre réellement* (p. 36)?
>
> *Ils se ressemblent comme jumeaux* (p. 59).
>
> *Antoine et Gene étaient restés sur place (...). Leur expression si semblable me frappa de nouveau* (p. 113).

Cette similitude, épinglée avec insistance et jubilation, va en quelque sorte autoriser Laure à opérer un subtil transfert de Gene à Antoine :

> *J'aimerais l'aimer pourtant. Comme j'ai toujours espéré aimer Gene. Et parfois je l'aimais beaucoup* (p. 72).

Histoire de famille : la longue et douloureuse amitié — «joie proche de l'extase» — qui a marqué son adolescence, va se muer, pour Antoine, en un amour «au goût de souffrance et d'implacable». Pouvait-il en aller autrement? La passion conjugue, à chaque fois, avec le même bonheur malheureux, l'angoisse et «la délice»…

Les morts : le père et le soldat.

Il arrive très souvent à Laure d'interrompre, de façon abrupte, son récit de vacances par l'évocation de la mort récente de son père ; ce qui l'amène, au gré des nombreuses occurrences, à reconstruire par petites touches et avec un art consommé du suspens, les temps forts de son roman familial. Ainsi s'esquisse une relation privilégiée[6] avec un homme, à la fois simple et honorable, qui, par sa vie laborieuse, a inculqué à sa fille le sens des valeurs mais aussi un homme extrêmement complexe, voire incompréhensible, puisque cette image du père valeureux se double de celle du père alcoolique qui, sa vie durant, s'est employé à se détruire avec minutie :

> *Pourquoi ? (...) Il ne me répondait jamais. Sa noyade le concernait. Son refus était implacable. Il prenait son droit de fuir comme il l'entendait, et cela aussi je l'ai aimé en lui* (p. 93).

C'est toutefois le souvenir du père en agonie qui revient sans cesse troubler la quiétude de la narratrice ; cette image obsédante s'attache, non sans une certaine morbidité, aux détails physiques de la souffrance (la fièvre, la sueur dans les draps sales, la bile brûlante et noire, les vomissements de sang, les yeux et la bouche à fermer, le corps et le cercueil...) et permet, par là même, l'identification du père et du soldat.

Le réseau de résistance que commande Antoine a grièvement blessé, dans le bois de Froidmont, un jeune soldat allemand ; transporté dans la maison du jardinier, celui-ci y mourra sans soins médicaux, ainsi que l'a décidé Antoine, pour des raisons de sécurité... Le corps meurtri de l'ennemi («son genou, amas d'os brisés et de chair noire», «ce pénible silence de fièvre et de sang»), ses souffrances, son angoisse face à la mort sont, pour Laure, autant de rappels du souvenir douloureux qui l'obsède ; les deux images se superposent d'ailleurs plus d'une fois dans son récit ; ainsi, quand elle découvre le soldat :

> *J'ai couru, j'ai poussé la porte, gravi l'escalier (...). Dans la chambre obscure, gisait mon père agonisant* (p. 80).

> *Mon père avait vécu un cauchemar tout semblable et je lisais dans les yeux de cet homme cette même peur de quelque chose de plus terrible que la mort* (p. 83).

> *Alors je fis pour lui ce que j'avais donné à mon père : je*
> *m'agenouillai près du lit et je priai à voix haute (...). Mais*
> *ici, comme à l'agonie de mon père, dans cette odeur de*
> *désespoir, que pouvais-je offrir de plus parfait* (p. 83)?

Horreur de guerre dans le havre de paix, ce drame va si
profondément troubler la narratrice qu'à la mort du blessé elle
quittera avec précipitation le domaine en renonçant à Antoine,
cet homme capable de se jouer ainsi de la vie. Tout s'est donc
passé comme si l'agonie du soldat, rejoignant celle du père, avait
ouvert les yeux de la jeune femme, l'avait rappelée à la vraie
valeur des choses. La leçon des morts a eu raison de l'amour de
Laure... Étrange initiation qui a mené la jeune femme au bord de
ses interdits.

VOYAGE INTÉRIEUR

S'inscrivant dans la tradition du merveilleux et du fantastique,
Les Jumeaux millénaires lie la figure symbolique du château au
thème de la quête, de la recherche d'un secret conservé en un lieu
clos.

L'amour et les interdits

Si l'amour hante véritablement les personnages vivant dans le
domaine enchanté, aucun n'atteint cependant le plein épanouisse-
ment de ses sentiments. On a vu comment la narratrice passait de
l'amitié parfaite et douloureuse de son adolescence à une passion
tout aussi tourmentée et impossible pour un Antoine «inaccessible et d'autant plus désirable»:

> *Ses doigts ! (...) Une alliance ronde et brillante qui gâche sa*
> *belle main d'homme comme une rature sur une page*
> (p. 27).

165

Les baisers d'Antoine m'apportaient un goût de souffrance et d'implacable (p. 79)

– *Ta femme, tu l'aimes ?*
– *Oui.*
Un oui net comme une perle véritable. Un oui pur qui fit un trou rond dans mon cœur (p. 125).

Malgré ses déclarations, Antoine vit néanmoins séparé de son épouse[7]; quelle que soit la force de son désir pour Laure, il la laissera s'échapper (l'y aidera, même) pour ne garder, finalement, que cette étrange relation avec sa nièce où tout semble sublimation. Quant à Gene, satisfaite de sa vie de château, elle se contente de rêver aux héros qui, un jour, reviendront de guerre couverts de gloire : «les vrais hommes sont partis», affirme-t-elle, «ceux qui sont ici n'ont aucun intérêt». Chacun des personnages recourt ainsi à son propre scénario de défense (le héros, le mariage, la leçon des morts) pour préserver — dans le double sens de «maintenir» et de «se garder de» — son désir. L'insatisfaction semble de mise à Froidmont[8], comme le suggèrent subtilement les différents jeux de signifiants qui se donnent à entendre tant dans le nom du domaine que dans celui des jumeaux; Antoine et Gene associent en effet l'interdit de la même négation («ne») à la possibilité d'une rencontre qu'aurait pu évoquer l'association des pronoms de la première et de la deuxième personne (en-toi-ne; je-ne).

Nonobstant, aux yeux de Laure, le couple des jumeaux — millénaires — est le seul qui puisse durer[9] comme si l'éviction de la sexualité s'avérait garante de la vraie fusion.

L'initiation

Le parcours de Laure à travers l'univers d'Antoine et de Gene ressemble à une initiation, parce qu'au terme d'épreuves essentielles (confrontation à l'amour, à la mort), il l'amène à redéfinir une nouvelle vision du monde; ainsi, à l'aube de son troisième jour de vacances, dans un temps soudain belge et gris, elle trouve la force de quitter le château (dés)enchanté pour regagner ce qu'elle sait maintenant être «son» lieu d'élection :

> J'étouffais d'inaction dans ce royaume du bonheur (p. 154).

> Avais-je enfin compris que celui qui ne prend pas parti consent au pire ? N'était-ce pas ma propre lâcheté avec laquelle je rompais et ce bonheur que j'avais voulu à tout prix, ces vacances dérobées au grand partage de la guerre (p. 155) ?

> Moi aussi je regagnais mon univers, mes problèmes, mon hiver (p. 155).

Après ce voyage, la «réalité haïe» se trouve réinvestie en tant que seule détentrice de la vérité de la jeune femme ; celle-ci a pu dépasser le leurre des apparences et le «domaine parfumé» lui est «désormais irrespirable».

Mais le secret du château c'est aussi la façon bien particulière qu'ont les jumeaux de s'aimer : fascinante image de fusion que Laure éprouve décidément trop dangereuse pour elle.

LEÇON DU MYTHE

> «Seigneurs, vous plaît-il d'entendre un
> beau conte d'amour et de mort ?»

Ce début du *Tristan* de Bédier pourrait servir d'exergue aux *Jumeaux millénaires*. La légende y intervient, en effet, à plus d'un titre ; de façon anecdotique, tout d'abord : Antoine, en tant qu'historien, termine la rédaction d'un livre consacré aux origines du mythe de *Tristan et Iseult ;* il en parle régulièrement aux deux jeunes femmes, car, avoue-t-il :

> Mes travaux, je les aime. Le reste, je le fais par devoir. Pour moi, la vraie vie, c'est Tristan (p. 59).

Le roman contient, en outre, une réactivation du mythe, du fait des personnages qui s'identifient volontiers aux héros médiévaux :

> – *Dans cette lumière, tu es belle comme un diamant.*
> – *C'est vrai, fait Antoine, Gene ressemble à Iseult.*
> – *Iseult était blonde. Je ne lui ressemble pas du tout.*
> – *Alors c'est Laure qui sera Iseult, dit-il gentiment* (pp. 58-59).

Et pour Laure-Iseult, Antoine se devait de devenir Tristan :

> *Il a gardé sur les lèvres le sourire de Tristan* (p. 33).

> *Je contemple Antoine. Couché il a l'air très jeune et très malheureux. Tristan vaincu* (p. 66).

> *Antoine immobile, face au jardin, ressemblait à Tristan comme je l'imaginais, légèrement voûté par le chagrin* (p. 91).

> *Antoine mangeant des fraises, Antoine vivant et doux contre ma bouche, Antoine transfiguré, Tristan dans le bois, ou à l'aube d'une nuit tragique* (p. 120).

Les nombreuses assimilations témoignent du souhait de Laure de vivre avec Antoine une relation digne de la légende[10] : se perdre, brûler, plonger dans la passion, consciente de la gravité de l'enjeu :

> – *Si je commence à t'aimer, (...) ce sera grave. Toi, je ne pourrais que t'aimer tout à fait, totalement, ou bien, il faudrait que nous nous séparions tout de suite (...).*
> *Il me semblait qu'il venait de dire, par miracle, exactement ce que je pensais moi-même* (pp. 91-92).

Car une telle exigence de fusion amoureuse ne peut certes qu'entraîner la destruction de ceux qui s'abandonnent de toutes leurs forces ; c'est la leçon du mythe : Tristan et Iseult ont vécu leur désir jusque dans la mort ! Peut-être est-ce, en définitive, la conscience trop aiguë de cette fin inéluctable qui amène les deux amants à se replier sur d'autres positions désirantes: Antoine tente, on l'a vu, de préserver l'idée même de la fusion au prix du sacrifice de la jouissance; Laure, elle, décide de se garder, dans la réalité, de toute rencontre pour plutôt projeter celle-ci dans un idéal inaccessible; «il faut s'en sortir intact», profère-t-elle.

Le mythe devient par là un garde-fou, comme le réaffirme, de façon détournée, l'image si prenante des cercueils de Tristan et Iseult. La narratrice avait en effet découvert, en fouillant dans les notes de travail d'Antoine, une remarque qui l'avait fort impressionnée:

> *L'une d'elles* [de ces remarques], *la dernière, je m'en souviens. Il l'avait soulignée deux fois, puis écrit dessous: À VÉRIFIER.*
>
> *«Le roi Marc fit ouvrer deux cercueils, l'un de calcédoine pour Yseult, l'autre de béryl, pour Tristan»* (p. 133).

> *Dans mes moments d'euphorie, encore aujourd'hui je me dis cette phrase incomparable:*
> *«Le roi Marc fit ouvrer deux cercueils...»* *Il me semblait alors que nous étions à Froidmont depuis des siècles, isolés, enfermés comme eux dans la plus précieuse des agates* (p. 133).

Pour Laure, en ultime analyse, l'important n'est donc pas de vivre comme les héros de la légende mais bien de ne jamais oublier ce que ceux-ci représentent, figés dans leur éternité. Quant à la matérialité précieuse des cercueils, gage de pérennité, elle pourrait métaphoriquement évoquer le travail serré de l'écriture qui a permis à la narratrice d'inscrire à jamais dans l'histoire les êtres de Froidmont.

1. Marianne Pierson-Piérard, *Maud Frère,* collection Portraits, n° 13, Bruxelles, Pierre de Meyere, 1966.
2. Gérard Genette, *Figures III,* Paris, Le Seuil, 1972, p. 253.
3. *Ibid.,* p. 206.
4. L'on pourrait relever, dans le détail du texte, d'autres oppositions de traits de caractère entre les deux amies; voir, à ce propos, le mémoire d'A. Prinzie: *Étude narrative des «Jumeaux millénaires» de Maud Frère,* UCL, 1978.
5. Notons la même opposition ville-campagne, privilégiant cette dernière pour les êtres d'exception.
6. Fidèle à son mode de repérage habituel, Laure aime s'identifier à son père, notamment par certains traits de caractère (l'introversion, le mutisme etc.).
7. Celle-ci réside en ville, avec les enfants (même valeur de l'opposition des lieux).
8. Froidmont n'a jamais aussi bien porté son nom qu'au matin du départ de la narratrice : le froid, le moisi s'emparent d'un coup du château (pp. 144-145) tandis que la pluie et la boue gâchent le paysage (pp. 142-143). Les différents éléments de la représentation témoignent donc d'une belle cohérence !
9. Échapper au temps semble par ailleurs un des pouvoirs du domaine enchanté ; il suffit pour s'en convaincre de relever dans le récit de Laure les différentes occurrences du mot *éternité* (de ses dérivés et de ses synonymes).
10. Le roman offre également plusieurs répétitions d'images, de gestes et de situations de la légende (l'anneau d'or, le philtre, le poison, les scènes de forêt, etc.).

REPÈRES BIO-BIBLIOGRAPHIQUES

1923 : Maud Frère naît à Bruxelles le 13 octobre.

Après des primaires à l'école des Trinitaires, et des études secondaires au Lycée de Saint-Gilles, elle commence des études de Philosophie et Lettres qu'elle interrompt en 1942, lorsque meurent ses parents. Elle entre à l'Institut d'études sociales et fait de nombreux stages en usines, dans des hôpitaux et des grands magasins. Elle commence à écrire, écoute les conseils de Marie Gevers et suit les cours d'art dramatique de Claude Etienne.

1945 : Elle épouse Edmond Frère, le 9 mai.

1956 : Elle décide de confier un texte à un éditeur ; Gallimard accepte immédiatement de publier *Vacances secrètes* dans une collection pour les jeunes, la *Bibliothèque blanche,* où l'on trouve des textes de Béatrix Beck et Henri Bosco. Ce roman sera publié à nouveau par Gallimard, dans la collection Folio junior (n° 35), en 1978, avec des illustrations de Tibor Csernus. C'est le même éditeur qui fera paraître tous les romans de Maud Frère.

1957 : *L'Herbe à moi.*

1959 : *La Grenouille.*

1961 : *La Délice.* Ce texte donnera naissance à un film de Jean-Pierre Berckmans : *Isabelle devant le désir.*

1962 : *Les Jumeaux millénaires.* Le roman, adapté par Jacques De Decker et Jean-Pierre Berckmans, deviendra un téléfilm réalisé par ce dernier en 1974.

De 1962 à 1965, Maud Frère consacre une partie de son temps à la littérature enfantine et collabore à la semaine littéraire de l'ORTF.

1965 : *Guido.*

1966: *Le Temps d'une carte postale.* Le roman sera le point de départ d'un téléfilm de Teff Erhat, en 1981.

1970: *L'Ange aveugle.*

1972: *Des Nuits aventureuses.*

1979: L'année de sa mort, on peut lire une préface qu'elle consacre à la réédition de *Zonzon Pépette,* d'André Baillon, dans la collection *Passé Présent* chez Jacques Antoine.

TABLE DES MATIÈRES

Achevé d'imprimer
le 10 octobre 1988.